シュガーアップル・フェアリーテイル

銀砂糖師と虹の後継者

三川みり

17527

角川ビーンズ文庫

CONTENTS

シュガーアップル・フェアリーテイル
銀砂糖師と虹の後継者

シュガーアップル・フェアリーテイル

STORY&CHARACTERS

妖精
ミスリル

戦士妖精
シャル

銀砂糖師
アン

妖精
エリル

妖精
ラファル

砂糖菓子職人
キース

ハイランド王国 王城の人々

国王
エドモンド二世

王妃
マルグリット

王国の重臣
ダウニング伯爵

今までのおはなし

王家が500年もの間秘匿していた銀砂糖妖精ルルから、その技術を受け継いだ銀砂糖師のアン。銀砂糖妖精を育てるために、王命で各工房の見習いの半数は妖精にすることを定められる。アンも、銀砂糖子爵ヒューのもと、キャットとキースと銀砂糖師の素養をもった妖精たちを集めることに。しかし、それには妖精市場の協力が必要。「狼」と呼ばれる妖精商人の長レジナルドに交渉し、なんとか協力を取り付けたが、眠っていたはずのラファルが消えてしまって……。

砂糖菓子職人の3大派閥

3大派閥……砂糖菓子職人たちが、原料や販路を効率的に確保するため属する、3つの工房の派閥のこと。

銀砂糖子爵
ヒュー

ラドクリフ工房派
工房長
マーカス・ラドクリフ

マーキュリー工房派
工房長
ヒュー・マーキュリー
(兼任)

ペイジ工房派
工房長
グレン・ペイジ

砂糖菓子職人
ステラ・ノックス

工房長代理 銀砂糖師
ジョン・キレーン

工房長代理 銀砂糖師
エリオット・コリンズ

Key word

砂糖菓子……妖精の寿命を延ばし、人に幸福を与える聖なる食べ物。
銀《ぎん》砂《さ》糖《とう》師《し》……王家から勲章を授与された、特別な砂糖菓子職人のこと。
銀砂糖子《し》爵《しゃく》……全ての砂糖菓子職人の頂点。
銀砂糖妖精……至上の砂糖菓子を作る妖精。その技術は銀砂糖子爵のみに受け継がれてきた。現在、銀砂糖妖精はルル一人しかいない。

本文イラスト／あき

一章　妖精たちの工房

真夜中にふと目が覚めたのは、違和感《いわかん》のためだった。いつも胸に抱《かか》えて一緒《いっしょ》に眠《ねむ》っている、小さな妖精の存在が消えていたのだ。

アンは眠い目をこすりながら、ベッドの上に体を起こした。

「……ミスリル・リッド・ポッド？」

寝《ね》ぼけ眼《まなこ》で見回すのは、キースとアンの工房の二階にある、アンに割り当てられている小さな部屋だ。窓のカーテンが半分開いていて、初夏の冴《さ》えた月光が床《ゆか》に長く落ちている。

床に落ちる月光を一部遮《さえぎ》って、小さな影《かげ》が窓辺にある。

膝《ひざ》を抱えてちょこんと座っているのは、湖水の水滴《すいてき》の妖精ミスリル・リッド・ポッドだ。澄《す》んだ青い目で、窓越《ご》しにじっと月を見あげていた。

月光のあたる銀色の髪《かみ》は、光に溶《と》けるかのように境界が曖昧《あいまい》でけぶったように見えた。背にある片羽は色もなく透明《とうめい》で、くしょりと垂れている。

祈《いの》るように、ミスリルは一心に月を見あげていた。わずかに眉根《まゆね》をよせたその横顔に、アンは心のざわつきを覚えた。こんな表情のミスリルを見たことは、今までない。

アンはベッドから足をおろしたが、ミスリルはその気配に気がつかないらしい。

そのまま部屋を横切った。出入り口近くにある長椅子《ながいす》の脇《わき》を通り過ぎる。そこはシャルの寝《ね》床《どこ》なのだが彼の姿はなく、毛布だけが広げられていた。

二ヶ月半ほど前にシャルの兄弟石の妖精、ラファルとエリルが逃走《とうそう》した。それ以降シャルは、夜中に工房の周囲を見回っているらしい。彼が真夜中にそっと部屋を出ていくことに、アンはずいぶん前から気がついていた。

窓辺に近づくと、できるだけミスリルをびっくりさせないように静かに声をかけた。

「どうしたの? ミスリル・リッド・ポッド」

ようやくミスリルが目をしばたたき、アンの方に振《ふ》り返る。

「あ……アンか。どうしたって、なにが……」

彼の受け答えは、いつになく歯切れが悪かった。

アンは窓辺に腰掛《こしか》けると、ミスリルを覗《のぞ》きこむ。

「だって真夜中に起きるなんて、今までなかったから」

するとミスリルは、気を取り直すようににかっと笑ってから、ちっちと人差し指を立てて振った。

「やっぱりおまえはお子様だなアン。おまえの恋《こい》を成就《じょうじゅ》させようという、俺様の気遣《きづか》いがわかんないなんてな!」

「気遣い？」

「シャル・フェン・シャルの奴《やつ》が真夜中うろついてるのに、おまえ気がついてなかったか？」

「うん。知ってたけど。本人がなにも言わないから、あえて言わなかったし訊《き》かなかったけど」

「あれはだな、下心をもてあまし、それを発散するために歩き回ってるんだ！」

「え……それ……。なんか……違《ちが》う気が……」

「そうなんだっ！」

断言すると立ち上がり、ミスリルは拳《こぶし》を固める。

「そこでだ、俺様は今日こそ、部屋に帰ってきた奴に下心を解放するようにすすめてだな、適当なところで、アンで手を打たないかと持ちかけてだな。そのまま声援《せいえん》を送りつつ、部屋を出て行くという素晴《すば》らしい計画を実行しようと決めたんだ！　まずは既成事実《きせいじじつ》だ！」

「ままま、待って！　なにその計画は!?　それは恋の成就なの!?　というか、シャルにそんな下心なんてあるわけないし！」

「なに言ってる。あいつは下心の塊《かたまり》だ！」

「誰《だれ》がなんの塊だ？」

部屋の温度が下がりそうな低い声に、アンとミスリルは同時に出入り口を振り返った。

出入り口の脇にもたれかかり、腕組《うでぐ》みしてミスリルをくびり殺しそうな目で睨《にら》んでいるのは、黒い瞳《ひとみ》と黒髪《くろかみ》の妖精シャル・フェン・シャル。

部屋に満ちる月光で、彼の姿も青く浮《う》き立って見えた。肌《はだ》が一層白く、長い睫《まつげ》が、頬《ほお》に濃《こ》い影を落とす。月光の中で一層際立《きわだ》つ、影のような艶《つや》やかさを身に纏《まと》う。膝裏に届く一枚の羽は半透明《はんとうめい》で、絹のようにさらりとしている。

「シャル!?　いつからそこに!?　どこから話を聞いてたの!?」

恋の成就云々《うんぬん》を聞かれてしまっていたらと、真っ赤になりながらも肝《きも》が冷える。シャルは後ろ手に扉《とびら》を閉めると、窓辺に寄ってくる。

「俺が扉を開けた途端《とたん》に、こいつの『下心の塊だ』が聞こえた」

冷ややかに見おろされるが、ミスリルは自慢《じまん》たらしく胸を張る。

「ほら、図星だ」

「なにがだ」

『誰が』なんて聞いてないはずなのに、おまえ『下心の塊』と聞いて、自分のことだと思ったんだろう。ということはだな、自覚があるわけで」

「……吊《つる》すぞ」

「待て待て、別に悪いとは言ってないぞ！　いっそここで下心を解放して……わぎゃっ！」

ミスリルが全部を言い終わらないうちに、シャルはミスリルの首根っこを捕《つか》まえて、思い切り振りかぶってベッドの上に投げつけていた。

「ミスリル・リッド・ポッド！　シャル、なんてことを！　気絶しちゃった！」

ベッドの上でつぶれて目を回したミスリルにアンが駆《か》けよると、シャルがカーテンを閉めながら言う。

「おとなしく寝かせただけだ。夜中にこいつのおかしな妄想《もうそう》につきあって、騒《さわ》ぐな。おまえも寝ろ。明日から、ホリーリーフ城へ移るんだろう」

「ああ、うん。そっか。そうだった」

おおよそ二ヶ月半前のこと。銀砂糖子爵《ししゃく》ヒュー・マーキュリーは、アンたちとともに力を尽《つ》くし、妖精商人ギルドの代表レジナルド・ストーから、妖精たちを借り受ける約束を取り付けた。

アンもシャルも大変な思いをしたし、ヒュー自身も怪我《けが》を負い、自分の立場すら危《あや》うくなった。しかし事がおさまるとヒューは、怪我や疲労《ひろう》などまったく感じさせないほどすぐに、精力的に行動を開始した。

妖精たちを集め資質を見極《みきわ》め、修業《しゅぎょう》させるための準備に取りかかったのだ。

妖精を集める場所として、ホリーリーフ城が選ばれた。

ハイランド王国最大規模を誇《ほこ》る妖精市場が立つルイストンに近いし、工房として体裁《ていさい》を整えるのに充分《じゅうぶん》な広さがある。しかも街から程よく離《はな》れているので、落ち着いた環境《かんきょう》だ。

そして準備はほぼ整ったと、昨日知らせがあった。それを受けアンたちとキースは、明日、ホリーリーフ城に居を移す予定になっていた。

明後日《あさって》からはいよいよ、妖精たちが市場から集められ、城にやってくる手はずになっている。

促《うなが》され、アンはミスリルを抱《だ》きかかえてベッドに潜《もぐ》りこんだ。

「……あれ？」

頭を枕《まくら》につけたまま、アンは抱きかかえたミスリルを見おろす。

「どうした」

シャルがベッドの脇に近寄ってきたので、目線をあげて彼を見る。

「ミスリル・リッド・ポッド。ちょっと、痩《や》せたかなって」

「あんなに食べているのにか？」

「うん。軽い気がする。ちょっとだけ、いつもより」

「気のせいだろう。いいから、寝ろ」

「でも。さっきもちょっと、様子がいつもと違うかなって……」

再び、さっき感じた胸のざわつきを覚えた。

「とにかく、休め」

シャルがベッドの脇に跪《ひざまず》き、アンの肩《かた》の上まで薄《うす》い上掛けを引っ張り上げてくれた。そして何気ない仕草で、上掛けの上から軽く肩先《かたさき》に口づける。

「え？」

確認《かくにん》するまもなく、シャルは体を起こしていた。

——今の？

薄《うす》い木綿《もめん》の寝間着《ねまき》と上掛け越《ご》しに、確かに彼の吐息《といき》を感じた。

――馬鹿馬鹿《ばかばか》！　わたし！　気のせいに決まってるじゃない！

気のせいにしても、そんな気になる自分が急に恥《は》ずかしくなり、アンは上掛けに顔を埋《うず》めた。

「気になるなら、明日にでもミスリル・リッド・ポッド本人に訊け。もう寝《ね》ろ」

静かに告げると、シャルは立ちあがって長椅子に向かった。

――わたし、色々、気のせいが多いみたい……。

アンは胸に抱《だ》いたミスリルの重みを、もう一度確認するように、さらに強く抱きしめる。

――うん。たぶん。これも気のせい。

自分にそう言い聞かせて、目を閉じた。


翌日、アンたちとキースは予定どおりホリーリーフ城にやって来た。

城に入ってから、アンははしゃぎっぱなしだった。嬉《うれ》しくて仕方がない。

扉を開き、階段を駆けあがり、窓を開ける。部屋を覗《のぞ》く。部屋を覗く度《たび》に、アンは感嘆《かんたん》の声をあげていた。そしてすべての部屋を覗いてからやっと満足し、ホリーリーフ城二階の廊下《ろうか》に立ち止まった。開け放たれた窓から外に視線を向け、満足のため息をつく。

「すごい。それにすごく、素敵《すてき》」

開いたアーチ型の窓から外に目を向ければ、王都ルイストンが遠く望めた。聖ルイストンベル教会の鐘楼《しょうろう》も、青空を背景に掌《てのひら》に載《の》る大きさに見える。

——ここが、はじまりの場所になってくれればいい。

景色を眺《なが》めながら心の中で祈《いの》ると、初夏らしい濃い植物の香《かお》りを乗せて風が通り過ぎ、アンの髪《かみ》の毛の先を揺《ゆ》らす。

「おまえは、ちょこまか動きすぎだ」

ふいに背後から頭を小突《こづ》かれたので、頭を押さえながらふり返った。

「だって、すごいんだもの」

小突いたのは、シャルだ。その肩の上にはミスリルもちょこんと座っている。アンが昨夜感じた不安が馬鹿馬鹿しくなるほど、ミスリルはいつもと変わらない。くりくりとした銀の瞳は明るい。

「俺様には、ここも、ペイジ工房《こうぼう》もラドクリフ工房も同じに見えるけどなぁ」

「同じじゃないわよ！　だってここは、妖精《ようせい》たちの工房になるんだもの。すごいことよ」

かつてミルズランド家に滅《ほろ》ぼされたチェンバー家の居城であった、幽霊《ゆうれい》城。様々な因縁《いんねん》を持つホリーリーフ城に今、新たな時が始まろうとしているのだ。

壊《こわ》れ風化した箇所《かしょ》は修復され、隅々《すみずみ》まで掃除《そうじ》がなされた。内装や設備は目的に合わせて変えられたので、城館の内部は、貴族の居城とは違《ちが》った趣《おもむき》になっている。

一階は、ほとんどの壁《かべ》が取り払《はら》われた。壁際《かべぎわ》には家庭用よりも少し大きめの竈《かまど》が並び、開けた空間には作業台が並ぶ。整然とした、桶《おけ》や石臼《いしうす》、棚《たな》。砂糖菓子《がし》を作るための作業場だ。二階から上の部屋には、木製の二段ベッドが入れられた。職人たちが寝起《ねお》きするためだ。

城館全体が、中規模程度の砂糖菓子工房《こうぼう》として改装されたのだ。

城館内は、聖エリスの実の爽《さわ》やかな香りが満ちている。

国教会が所有するこの城は、今年の冬までペイジ工房が借り受ける約束だった。しかしヒューはペイジ工房と国教会と交渉《こうしょう》してここを買い取り、工房に作り替《か》えたのだ。城の買い取り、改修工事までを、ヒューはキャットに手伝わせていた。キャットはブツブツと文句を言いながらも、それでも生来の人のよさでヒューにこき使われた。

場所の準備以外にも、キャットは市場から妖精たちを集め、また帰すための事務的な仕事も一手に引き受けている。今も彼は、ルイストンの妖精市場にでかけているのだ。市場の代表と詳細《しょうさい》を詰《つ》めるための会議に出ているはずだ。

「おまえが跳《は》ね回ってる理由はわかった。だがラファルのこともある。あまり俺から離れるな」

「ごめんなさい。気をつける」

一瞬《いっしゅん》、不安が胸をかすめる。

「アン！　見た!?　城館の裏側に、銀砂糖の保管倉庫まで作られてるよ」

小ホールの方からキース・パウエルが、目を輝《かがや》かせながら早足にやって来た。品の良い膝丈《ひざたけ》の上衣《うわぎ》の裾《すそ》が、彼の動きに合わせて軽《かろ》やかに揺れる。

「湿気《しっけ》を防ぐ高床《たかゆか》で、壁も二重構造だし。ちょっとしたものだよ。見に行こう!」

キースはアンの手を取って引こうとした。が、そのキースの手を、シャルが下からぴしりと跳ね上げた。

「手を引く必要はないだろう、坊《ぼう》や」

「ひどいね、シャル」

傲然《ごうぜん》と言い放つシャルに、キースは困ったような顔をした。

「おまえの望み通りだ。これが望みだろう」

「確かに、思うままに振《ふ》る舞《ま》って欲しいってお願いしたよ。けれどこれを喜べるほど、僕は自《じ》虐《ぎゃく》的じゃないんだけど」

「約束は約束だ」

文句を言い合っているようなのだが、二人の様子は以前よりもどこか打ち解けている。それがアンには、なんとなく嬉しい。みんなが一緒《いっしょ》の家族になったような気がする。

「二人とも、近頃《ちかごろ》仲いいよね」

アンがにこにこすると、キースは目を丸くした。シャルは珍《めずら》しく、疲《つか》れたように呟《つぶや》く。

「誰《だれ》かさんのおかげでな」

するとシャルの肩の上にいたミスリルが、照れ照れと頭を掻《か》く。

「いやぁ〜、そんな。それって俺様のおかげ？　礼を言われるほどのことやってない……て言うか。あれ？　俺様、なにかした？」

「……おまえの頭の構造はどうなっている……」

頭痛でも始まったかのようにシャルは額を押さえ、キースは声をあげて笑い出す。

「君って、長生きしそうだねミスリル・リッド・ポッド！」

「おう！　俺様はシャル・フェン・シャルより長生きしてやるからな！」

胸を反らすミスリルがおかしくて、アンも吹《ふ》き出す。

「てめぇら……えらく楽しそうじゃねぇかよ……」

恨《うら》み節のような低い声が聞こえ、全員がぎょっとした。

廊下をふらふらとこちらにやって来るのは、キャットこと、銀砂糖師のアルフ・ヒングリーだった。ルイストンの妖精市場から帰ってきたらしい。

細身の体にあつらえたような形の良いズボンと上衣姿で、手の込んだ刺繍《ししゅう》が襟《えり》や袖口《そでぐち》に施《ほどこ》された、洒落《しゃれ》たシャツを身につけていた。しかし服装の華麗《かれい》さとは裏腹に、顔に隈《くま》がくっきりと浮《う》かんで、疲労《ひろう》のためか目が死んでいる。肩《かた》の上に乗っている緑の髪の妖精ベンジャミンは、いつものようにふわふわした笑顔《えがお》だ。主人と対照的に、頬《ほお》の血色はすこぶる良い。

「みんな来てくれたんだねぇ。明日から賑《にぎ》やかになって嬉しいなぁ」

ベンジャミンはつやつやの笑顔で手を振っている。

「どうした。こんな場所で怠《なま》けていていいのか？　キャットさん。仕事しろ」

よろよろと近づいてきたキャットに、シャルは容赦《ようしゃ》がなかった。

「俺を殺す気か!?　あのボケなす野郎《やろう》にこき使われて、俺はこの二ヶ月半、ろくに眠《ねむ》ってねぇんだぞ！　明日からまたくそ忙《いそが》しくなるんで、今日やっと、半日休みをもらったんだ！　しかも俺の渾名《あだな》にさんづけすんじゃねぇ！」

怒鳴《どな》る声にも力がなかったので、さすがに心配になる。

「キャット、とにかくすぐに休んだ方がいいかも」

アンの気遣《きづか》いに、キャットは呻《うめ》くように返事した。

「そうする。休む……夕食には、絶対起こせよ。いいな、パウエル。絶対起こせ。忘れるんじゃねぇぞ。忘れたらぶん殴《なぐ》るぞ」

最後はキースに向けた言葉だったが、いやに執念《しゅうねん》がこもっていた。そしてよろよろと、自分たちに割り当てられた部屋へ向かって行く。

「よっぽどお腹《なか》が減ってるのかな、キャット」

首を傾《かし》げたアンに、キースが苦笑《くしょう》する。

「ヒングリーさん、ああ見えて甘いものが好きらしいからね。夕食後には胡桃《くるみ》のケーキがあるって知らせてあるから、食いっぱぐれたくないんじゃないかな」

「ケーキがあるの!?　どうして!?」

「アン。君、大事なこと忘れてない？　君、今日が誕生日だろう？」

「へ。あ……そういえば！」

すっかり忘れていた。本格的な夏が訪《おとず》れる前の爽やかなこの季節に、アンは一つ年を取る。今日でアンは、十七歳になるはずだった。

「シャルとミスリルから、少し前に聞いてたんだよ。夕食はちょっと豪華《ごうか》にするつもりで、材料を準備したんだ」

「そうなの？」

三人の顔を順繰《じゅんぐ》りに見やる。キースは微笑《ほほえ》み、シャルは少しだけ頷《うなず》いてくれる。なんだか照れくさくなり、アンは小さな声で礼を言った。

「……ありがとう」

ミスリルは立ちあがると、ぴょんと飛んでキースの肩に飛び移り、胸を叩《たた》く。

「俺様の料理の腕前《うでまえ》を披露《ひろう》してやるから、楽しみにしてろ。これから俺様とキースで、夕食の準備を始めるからな！　行くぞ、キース」

せっつかれて、キースは残念そうな笑顔になる。

「倉庫を一緒に見に行きたかったけど、後にするよ。夕食の準備が先みたいだ」

キースとミスリルは、そのまま階下へ向かった。

その日の夕食は胡桃のケーキ以外、それほど贅沢《ぜいたく》なものではなかった。

ジャガイモのスープと、ジャガイモのソテー。鶏肉《とりにく》の香草焼き。香《かお》りの良い香草《こうそう》サラダ。黒パンにつける、香草のオイル。少ない食材を精一杯《せいいっぱい》の工夫《くふう》で、品数を多く作ってくれていた。一応アンの誕生日祝いだったが、それと同時に、翌日から本格的に始まる仕事の景気づけのような雰囲気《ふんいき》もあった。

物心ついてから十五歳までのアンの誕生日は、毎年エマが祝ってくれた。小さな焚《た》き火をはさんで、あるいは一本の蠟燭《ろうそく》をはさんで向かい合い、「おめでとう」を言われた。

それは自分たちだけが、世界の片隅《かたすみ》でひっそりと喜びを分け合う幸福に満ちていた。幸福を分かち合っていたエマは、もうこの世にいない。

だがそのかわり去年は、シャルとミスリルが一緒にいてくれた。

三人で焚き火を囲んで目を覚ました翌日、シャルは小さな花をアンの髪《かみ》に挿《さ》してくれた。ミスリルは、箱形馬車の荷台に勝手に入り込み、砂糖菓子で、おどろおどろしい感じのアンの顔を作ってくれた。作ってくれたものは奇天烈《きてれつ》だったが、気持ちが嬉《うれ》しかった。

ひとりぼっちじゃないのだと実感して、ほっとして幸せだった。

そして今年は、シャルとミスリルと、キースと、キャット、ベンジャミンまでいる。

――不思議。

アンは少しだけワインを飲んだ。賑やかに食事する妖精《ようせい》と人間たちをぼんやり心地《ここち》よく眺《なが》めていると、胸の中にふわふわとした幸福感が満ちる。

——パンだったら、たくさんの人で分けあったら、一人が食べられる量が減っちゃう。なのに幸せな気分って、分けあう人が増えると一人の取り分が大きくなる。

それは不思議で、そして嬉しいことだった。

夕食後、ワインを飲みすぎたミスリルは案の定酔《よ》いつぶれた。他《ほか》のみんなもそれなりに疲れているらしく、酔いも手伝ってすぐにベッドに潜《もぐ》りこんでいた。

アンもすこしふわふわする程度には酔っていたが、眠れなかった。明日からの仕事を考えると、眠気《ねむけ》が来てくれないのだ。

酔い覚ましついでに、アンは庭に出た。

明るい半月の光で、草葉の一本一本が、濃《こ》く地面に影《かげ》を落としている。白い木綿《もめん》の寝間着《ねまき》の裾レースや襟ぐりのレースを、涼《すず》しい初夏の夜風が撫《な》でていく。草の香りが強い。植物たちがぐんぐん、勢いをつけているのがわかる。

——明日から十五人の妖精が来る。

明日から七日おきに、十五人の妖精たちがホリーリーフ城にやってくることになっていた。十五人の妖精に七日間、砂糖菓子《がし》に関する作業をしてもらうのだ。そこで、彼らの資質を見《み》極《きわ》める予定だ。

七日後、資質ある者の羽はヒューが妖精商人から買い取り、彼の管理下に入る。そしてこの城に残り、砂糖菓子職人見習いとして、修業《しゅぎょう》をしてもらうことになる。

しかし他の資質のない者は、再び妖精市場に帰ってもらう。

そしてまた新たに、別の十五人の妖精を連れてくるのだ。それを繰《く》り返せば、一年ほどで、ルイストンの妖精市場で売られている妖精すべての資質を見極められる計算になる。

しかしそれを考えると、心が痛む。

資質がある妖精たちには、銀砂糖妖精になる道が開かれる。いずれは彼らの手に羽を返し、職人として自由に仕事をすることも視野に入れているとヒューは言っていた。

だが一方で、資質のない妖精たちには、再び妖精市場に帰ることを申《もう》し渡《わた》さなくてはならない。

それはひどく残酷《ざんこく》なことだ。今の自分が幸福感を感じているだけに、一層切ない。

――けれど、それを承知でみんなはやると決断している。

ヒューもキャットも、キースも。そして妖精の未来のために、妖精王と自ら名乗る危険を冒《おか》してまで、妖精の手に妖精の技《わざ》を残そうとしたシャルも。

アンだけが迷い、気弱になってはいけない。

「一人でうろつくなと言ったはずだが?」

ふいに背後で声がして、アンはびっくりして飛びあがった。

「シャル！　どうしていつも気配を消して来るの!?」

玄関《げんかん》ポーチからゆっくりこちらにやってくるのは、シャルだった。

「別に消してない。おまえがぼんやりしていて、気がつかないだけだ。このぼんやりぶりで、一人夜中に外へ出るとはどういう了見《りょうけん》だ？　俺の注意は、頭からすっかり消えていたらしいな。そのかかし頭は、十六歳が十七歳になっても変わらないのか？」

「ご……ごめんなさい。どこもかしこも、進歩なくて……」

ぐうの音も出ない。小さくなったアンの正面に立って、シャルがくすっと笑ったので、不思議に思って顔をあげた。

「いや。少し変わった。綺麗《きれい》になった」

「今なんてっ!?」

驚《おどろ》いて目をまん丸にすると、彼はアンの頬に片手を添《そ》える。

「綺麗になったと言った」

耳慣れない台詞《せりふ》に、目を白黒させてしまう。黒い艶《つや》のある瞳《ひとみ》で見つめられると、なんだかぽうっと頬が熱くなる。真顔でシャルが言う。

「大人らしくなって、綺麗になった。誕生日プレゼントは、なにがいい？　キスでもするか？」

「えっ……ええええ、えっと。それは。あの、プレゼントの選択肢《せんたくし》は……ない？　っていうか、それはプレゼント的になんていうか……」

しどろもどろになっていると、シャルがにやりと笑った。耳元に唇《くちびる》を寄せ、秘密を打ち明けるような声で囁《ささや》く。

「冗談《じょうだん》だ」

「…………は？」

シャルはアンの頬《ほお》から手を離《はな》すと、あっさり背を向けた。

「城館の中に入るぞ。来い」

それだけ言うと、すたすた歩き出す。久しぶりに心臓に悪いからかわれ方をしたせいで、体から力が抜《ぬ》けた。

「はは……冗談。そうだよね～」

力の抜けた体でシャルのあとをついていく。玄関ポーチに足をかけようとしたときに、ふと、アンは右翼《うよく》の二階へ視線を向けた。二階の窓に、銀色の髪の小さな影を見た気がしたのだ。

「あれ？　ミスリル・リッド・ポッドかな？　今、廊下《ろうか》の窓のところにいたの」

アンが指さすと、シャルが怪訝《けげん》な表情で振《ふ》り返る。

「あいつなら酔いつぶれて、ベッドでいびきをかいていたが？」

「そうだよね。でも、今……」

首を傾《かし》げながらも城館に入り、すぐに自分のベッドに潜りこんだ。

シャルが言ったように、ミスリルはちゃんとアンのベッドの中で丸まって眠《ねむ》っていた。けれど酔っ払《ぱら》ったとき特有の、大いびきをかいてはいない。

――狸寝入《たぬきねい》り？

そんな気がした。かなりの量のワインを飲んだミスリルが、気持ちよく酔っ払わないわけはない。あれほど飲んで酔いもせず眠れもしないとすれば、なにか特別な理由があるに違《ちが》いない。

すこし、不安になる。

「ミスリル・リッド・ポッド？」

そっと呼んでみたが、返事はない。

——寝《ね》てるのかな？　やっぱわたしの気のせい？

ミスリルは丸まって、眠っている。その体がいつもより少し小さく思えるのは、やはり気のせいかもしれない。

翌日。目覚めた時から、アンは緊張《きんちょう》していた。それはキースも同様らしく、いつもの柔《やわ》らかな微笑《ほほえ》みのなかにも、気を張っているような雰囲気が感じられる。

アンとキースは、ホリーリーフ城の玄関ポーチに立ち、妖精たちの到着《とうちゃく》を待っていた。

庭を覆《おお》う丈《たけ》の低い草花が、初夏の明るい日射《ひざ》しに元気いっぱい背伸《せの》びしているようだ。日向《ひなた》で体を動かせば汗《あせ》ばむほどだが、ポーチの屋根の下にいると風は心地よい涼しさがある。

ふと視線を感じて目をあげると、右翼二階の窓を開けているシャルと目が合った。

昨夜の夕食でワインを飲み過ぎたミスリルは二日酔いで、ベッドから起き上がれないでいた。

シャルはミスリルの看病のために、二階に残っているのだ。

手振《てぶ》りで、「ミスリルの様子はどう？」と訊《き》くと、シャルはうんざりしたように肩《かた》をすくめる。それからふと、何かに気がついたように庭の向こうへ視線を向けた。

アンもそれにつられて、前庭から丘《おか》へ下る道に視線を向ける。車輪の軋《きし》む音と、馬の蹄《ひづめ》が地面を蹴《け》る音が聞こえてくる。

「来た？」

となりに立つキースに問うと、彼もまた同じ方向に視線を向け頷《うなず》く。

「うん。おそらくね」

前庭に現れたのは、キャットが操《あやつ》る二人乗りの小型馬車だ。それに先導されて一台の大型馬車が、ゆっくりと日射しをかきわけるように入ってくる。箱形の荷台の中にはかなりの人数の妖精が乗っているので、速度が遅《おそ》い。

キャットは今朝暗いうちに起き出し、ルイストンの妖精市場に向かった。妖精たちを、妖精商人から受け取って連れてくるためだった。

キャットが出て行くのと入れ替《か》わりに、銀砂糖子爵《ししやく》の城で事務を務めているという男が五人やって来た。彼らは、妖精《ようせい》たちの寝起《ねお》きする場所を割《わ》り振ったり、食事を準備する料理人を手配したり、生活全般《ぜんぱん》と事務的な仕事をこなすために派遣《はけん》されてきた。

——いよいよ。シャルとルルが望んだことが始まる。

キャットは馬車をポーチ脇《わき》に寄せると御者台《ぎょしゃだい》から飛び降り、アンとキースのところに早足に近づいて来た。なぜか苦々しい表情だ。

「待たせたな。ちょっとばかり、手こずっちまったからな」

「手こずったって、なにがあったんです？」

「出てくりゃ、わかる」

アンが訊くと、不機嫌そうに答える。

大型馬車を操っていた御者は手綱《たづな》をさばき、車体を玄関ポーチに横付けにした。キャットはポーチの階段を下りると、大型馬車の背後に回りこみ荷台の観音開《かんのんびら》きの扉《とびら》を叩《たた》く。

「みんな。到着したぞ」

キャットが一歩後ろに下がるのと同時に扉が開き、ズボンにベスト、ブーツ姿の妖精が一人、さっと飛び降りてくる。

降りてきた妖精は、腰《こし》に手を当て胸を反らし、不遜《ふそん》な感じで周囲をぐるりと見回す。

身長は、シャルよりも少し低い。だがかなりの存在感がある。がっちりとした肩幅《かたはば》と、雄々《おお》しい太い眉《まゆ》。堂々とした面構《つらがま》えだ。

ぱっと目を引くのは藍色《あいいろ》の髪《かみ》だ。四方に奔放《ほんぽう》にはねている短い髪は、黒に見えるほどの藍色。だが光に透《す》けると、ぬめるような深い青の色彩《しきさい》を見せる。背中にある一枚きりの羽の色も、驚くほどに濃《こ》い藍色。これほど濃い羽の色は、見たことがない。瞳は朱《しゅ》。強烈《きょうれつ》さで、見る者を威《い》圧《あっ》する色彩だ。精悍《せいかん》な顔立ちに、その色彩はよく似合う。

彼に続いて、荷台の中からはぞろぞろと、十五人の妖精が降りてきた。男も女もいるし、大きさもまちまちだった。ミスリル程度の大きさから、人と変わらない大きさまでいる。

藍色の髪の妖精が挑《いど》むようにキャット、アン、キースと順繰《じゅんぐ》りに視線を向けてくる。彼を頼《たよ》るように、妖精たちは彼の背後になんとなく集まる。警戒心《けいかいしん》むきだしだ。

キャットは妖精たちに、彼らを集める目的を伝えているはずだ。だが妖精たちの不安は、容易になくならないのだろう。

アンは彼らをできるだけ安心させるように、微笑む。

「こんにちは。アン・ハルフォードよ。砂糖菓子《がし》職人なの。みんなを歓迎《かんげい》するね。これから七日間、ここで砂糖菓子作りの作業を一緒《いっしょ》にすることになるから、よろしくね」

するとキースも、いつもの柔らかい微笑みで名乗る。

「僕はキース・パウエル。僕も砂糖菓子職人だよ。よろしく」

しかし、妖精たちはじっと二人を見つめるだけで動かなかった。先頭に立つ藍色の髪の妖精だけが、ふんと鼻を鳴らす。

――いきなり和気あいあいってわけにはいかないとは思っていたけど……雰囲気《ふんいき》悪いな～。

掌《てのひら》に妙《みょう》な汗がじわりと湧《わ》いてくる。シャルに、この場にいてもらえば良かった。シャルがいれば、妖精たちも少しは警戒心を解いてくれるかもしれない。

「とりあえずみんな、中に入って。中に、寝る場所を教えてくれる人がいるから」

体をずらして、アンは玄関扉《げんかんとびら》を大きく開く。

するとようやく、藍色の妖精を先頭に、妖精たちが歩を進めた。まず最初に、藍色の妖精が石の階段をのぼってポーチに足をかけた。アンの前を通り過ぎようとする。

「あ、そうだ。ねぇ。一人ずつ、名前を教えてくれる？」

ふとアンは思い立ち、藍色の妖精に声をかけた。彼は立ち止まると、片眉をあげて小馬鹿《こばか》にするような顔をする。

「名前はあんたたちがつけるもんだろう」

つっけんどんではあるが、どこか明朗な感じのする聞き取りやすい声だった。

「ここでは勝手に名前をつけたりしない。自分の本当の名前を教えて。わたし名乗ったでしょ？　だからみんなも……」

「アレル・シル・メイ」

アンが言い終わらないうちに、藍色の妖精は投げやりに答えると、出入り口をくぐっていった。彼に続いて他《ほか》の妖精たちも、投げやりに、あるいは怯《おび》えた声で、あるいは怠《だる》そうに名乗っては中に入っていく。

誰《だれ》もまともにアンたちを見ようとしない。

初夏の爽《さわ》やかな風にも気がついていないのではないかと思えるほど、彼らには覇気《はき》がない。

中に入った妖精たちは、ヒューの下《もと》から来ている手伝い連中に案内され、それぞれ割り当ての部屋に向かっていった。

キャットが苦い顔のまま、アンとキースに近寄ってきた。のろくさと階段をあがっていく妖精たちの後ろ姿を、ポーチに立って玄関《げんかん》の外から眺《なが》め舌打ちする。

「連中、市場を出る時からあの様子だ」

「彼らに、説明はしたんですよね。ヒングリーさん」

キースが訊くと、キャットは頷いた。

「少なくとも五回は説明した。だがいくら説明しても『はい、そうですか』しか言わねぇ」

キースは眉をひそめた。

——どうして？

不安を伴《ともな》った疑問が、アンの中にわきあがってくる。

妖精が育《はぐく》んできた妖精の技術を、妖精たちに伝える事。それは妖精たちにとっては喜ばしくて誇《ほこ》らしいことで、どんな妖精たちもルルやシャルのように、それを望んでくれると思っていた。なのに妖精たちからは、喜びがまったく感じられない。

先頭に立ち階段をのぼっていた藍色の髪の妖精、アレル・シル・メイがこちらにちらりと視線をくれた。目が合った。だがアレルは目が合った瞬間《しゅんかん》視線をそらし、そのまま階段を上がっていった。

――当然だな。

城館の中に妖精たちが入っていく様子を見届けたシャルは、窓際《まどぎわ》の壁《かべ》に背をつけて天井《てんじょう》を見あげ嘆息《たんそく》した。

妖精の育んできた、砂糖菓子作りの技術を継承《けいしょう》する仕事をしてもらう。突然《とつぜん》そう告げられても、妖精たちはまず、彼らの言っていることを真実だとは受け止めない。姑息《こそく》で残酷《ざんこく》な裏があるに決まっていると、身構える。

アンと出会う以前の自分を思い返してみれば、簡単に事が運ぶとは思えない。

いくつもの足音が、小ホールからシャルのいる廊下《ろうか》の方へ近づいてきた。そちらに視線を向けると、入ってきた妖精たちの集団と目が合った。先頭にいるのは藍色の髪の妖精だ。強烈な色彩から、強情《ごうじょう》な性質だろうと想像ができる。

彼はシャルの姿を見つけると、意外そうな顔をして早足に近づいてきた。

「よう！　俺たちよりも先に、集められた連中がいるのか？」

手をあげて、気さくに話しかけてくる。強情そうだが、仲間にとっては親しみやすくて頼《たの》もしい存在だろう。笑顔《えがお》が明るく、声が大きい。自然と仲間の中心になるタイプだ。

「おまえたちが最初だ。これから七日おきに、妖精を集めてくるとは聞いているが。俺はそれとは別口だ。俺の他に、水滴《すいてき》と小石がいる」

答えると、さもありなんというように頷《うなず》く。

「おまえどう見たって労働向きじゃないしな。俺はアレル・シル・メイだ。よろしく頼むぜ。おまえは？　戦闘《せんとう》向きだろう。人間の護衛か？」

「そんなようなものだ。シャル・フェン・シャルだ」

アレルに追いついてきた他の連中が、不安そうに彼の背に話しかける。

「アレル。どうする？」

「とりあえず自分のベッドを確認《かくにん》しろって言われたんだから、確認すればいいじゃないか」

妖精たちはシャルを気にしながらも、それぞれ割り当てられた部屋の中に散っていく。

城館の右翼《うよく》と左翼《さよく》の二、三階の部屋すべてに、二段ベッドが可能な限り入れられている。妖精たちはそのベッドを一つずつ与《あた》えられるのだ。

散って行く仲間を確認した後で、アレルは声を潜《ひそ》めた。

「おまえ、腕《うで》が立ちそうだなシャル」

「それが？」

「頼みがある」

つと眉をひそめると、アレルはさらに声を落とす。

「ここの監視《かんし》はゆるそうだ。俺たちは七日間、ここで働けと命じられてるんだ。絶好のチャンスだ。俺たち全員の羽は、ルイストンの妖精《ようせい》市場代表の人間が持ってる。おまえ少しでも自由がきくなら、理由をつけてルイストンへ行って、俺たちの羽を取り戻《もど》してくれ。そうすれば俺たちは自由になれる。そしたら今度は、俺たちがおまえの羽を持ってる奴《やつ》を、襲《おそ》ってやる。ここに来た連中はそれほど強くないが、集団で襲えばなんとかなるぜ」

ため息が漏《も》れた。アレルの提案は、使役《しえき》される者である限り当然だ。使役される者。使役する者。この隔《へだ》たりがある限り、妖精と人はわかり合えない。

しかしだからといって、彼らに羽を返してやれとはいえないのが現実だ。アンたちは妖精たちを、妖精商人から借りているだけなのだ。

「おまえの気持ちはわかるが、その頼みは聞けない」

「どうしてだよ?」

「あの人間たちを信じてみる気はないか?」

シャルはちらりと目をあげて、アレルの出方をうかがった。すると案の定、アレルは顔をしかめた。

「あの人間って、ここにいる連中か? なにを言ってんだ、おまえ」

「妖精が育んだ技術を身につけることは、妖精の未来につながる可能性がある。あの人間たちを信じて働けば、何かが変わるかもしれない。砂糖菓子《がし》職人……銀砂糖妖精になれる」

「銀砂糖妖精になったからって、なんだってんだ。職人になれば、羽を返してやれるかもしれないとか連中は言ってたが、信用できるかよ。結局、砂糖菓子を作る仕事をする奴隷《どれい》で終わるさ。今までと同じだろうが。なに甘っちょろいこと言ってる」

シャルは苦笑《くしょう》した。

「甘いな、確かに。言ってる俺も不思議だ」

小ホールを抜《ぬ》けて、銀砂糖子爵《ししゃく》の城から来た男たちが廊下に現れる。彼らは妖精たちが入った各部屋の出入り口に立つと、「ベッドの確認がすんだら、一階の玄関ホールに集合。作業を始めるぞ」と叫《さけ》んでいる。

アレルは小声で早口に、

「なによりもまず、自由になることが先決だろう。考えてみてくれよ、俺の頼み」

と言って、シャルの元を離《はな》れた。

――彼らには、アンたちの思いも、俺やルルの思いも、今のままでは理解できない。

銀砂糖妖精の技術が解き放たれ、人間王は、銀砂糖妖精を作れと王命を発した。一つの扉《とびら》が開いたのだ。なのにそこから歩み出すべき妖精たちは、その場にうずくまったまま。

しかしそれは扉を開いた人間自身がまだ妖精の羽を握《にぎ》り、妖精をそこへ縛《しば》りつける武器を持っているからだ。アンたちも好きこのんで羽を握っているわけではないが、妖精たちが逃走《とうそう》する危険性を考えれば、そうするしかないのだろう。

お互《たが》いが動くことを望んでいるのに、お互いの存在にすくんで動けない。


寝《ね》る場所の確認をすませてもらうと、すぐに妖精たちを一階の作業場に集合させた。

「妖精たちは作業場に行ってくれたみたいだね。まあ、とりあえずだけど」

安心したような、不安なようなキースの微妙《びみょう》な表情に、アンも眉《まゆ》をひそめる。

「本当に、とりあえず……って感じね」

「まあ、これからだがな」

キャットも腕組《うでぐ》みして、むっと唸《うな》る。彼の肩《かた》の上にいるベンジャミンだけが、太平楽《たいへいらく》に居眠《いねむ》りをしている。

玄関ホールで顔をつきあわせた三人は、ほぼ同時に作業場の方へ視線を向ける。十五人もの妖精たちがいるはずの作業場は、まるで無人のように静かだ。

「とりあえず、はじめねぇと」

とキャットが腕をほどき歩き出そうとした時、彼らの背後で玄関扉《げんかんとびら》が軋《きし》んだ。

「外に大型馬車があったな。妖精たちは、来たか」

扉が開くと同時に声がした。振《ふ》り返ると、銀砂糖子爵ヒュー・マーキュリーが悠然《ゆうぜん》と玄関《げんかん》ホールに踏《ふ》みこんできたところだった。簡素な茶の上衣《うわぎ》を身につけているのは、彼が今日は公式な用件できていないことを知らせていた。

いつものように、背後には褐色《かっしょく》の肌《はだ》の青年。護衛のサリムを連れている。

「に、しては静かだな。連中は？」

階段の上や作業場の方へ目を向けながら、ヒューが近づいてきた。キャットが眉間《みけん》に皺《しわ》を寄せる。

「てめぇ、なにしに来やがった」

「ご挨拶《あいさつ》だなキャット。銀砂糖妖精に関する一連の事業は、国王陛下の命令で資金を下賜《かし》され、俺が取り仕切ってるんだぜ。俺が仕事始めの様子を確認に来るのは当然じゃないか？」

「ああ、忘れてたよ。てめぇが俺たちの手綱《たづな》を握ってやがるんだったな」

嫌《いや》みたっぷりなキャットの態度をものともせず、ヒューはアンとキースに微笑《ほほえ》みかける。

「どんな具合だ？　順調か？」

「段取りは順調です」

答えたキースの言葉の含《ふく》みに、ちらりとヒューの目が光る。

「へぇ、段取りは、ね」

しかしそれ以上追及しようとせずに、にっと笑う。

「まあ、しっかりやってくれ。無様《ぶざま》な結果にだけはするなよ。とりあえず二ヶ月後には、マーキュリー工房《こうぼう》とラドクリフ工房の連中がここの妖精たちの様子を見学に来るからな」

「見学？」

思わずおうむ返しにしたアンに、ヒューは肩をすくめる。

「キレーンには泣きつかれ、ラドクリフ殿《どの》には脅迫《きょうはく》されたからな。今、見習いとして数人の妖精を工房に入れはじめているのは、ペイジ工房だけだ。マーキュリーとラドクリフ両派閥《はばつ》では、相変わらず妖精たちを工房へ入れる事への反発が強い。その両派閥の長《おさ》と長代理からの依頼《いらい》だ。妖精たちの仕事ぶりを、派閥の主だった職人たちに見させてくれないかとな」

「それは、なんで？」

目を丸くしたアンに、キャットが答える。

「職人どもは、妖精が職人として働けるとは思っちゃいねぇんだな、おそらく」

「そのとおりだ。職人を納得《なっとく》させるためには、妖精の技量を見せる必要があるって事だ。石頭でも、職人は職人だ。その技量を見せ、妖精たちが砂糖菓子作りに必要な存在だと認めさせる」

おさまりの悪そうな茶の髪《かみ》を両手で撫《な》でつけながら、ヒューは面倒《めんどう》そうに言う。そして意地悪く、口《くち》の端《はし》で笑う。

「逆を言えば、妖精たちの技量によっては、職人たちに格好の反対材料を与《あた》えることになる」

アンはどきりとした。

ヒューはこともなげに告げているが、彼が予告した各工房の職人たちがやってくる日というのは、かなり重要な日になるはずだ。

各工房に妖精たちが入り、修業《しゅぎょう》し、彼らが実際に職人になって働くために、アンたちは妖精を集めているのだ。しかしその工房に妖精たちが入れないのでは、お話にならない。

「心配するな。資質ある妖精なら、その実力は充分《じゅうぶん》なはずだ。おまえたちが二ヶ月で、派閥の職人が認める程度に、技術を教えればいい」

キースもキャットも苦い顔をするが、当然だ。要するにヒューは、おまえたちのやりようによって、妖精たちの先行きが良くなるか悪くなるか決まると言っているのだ。

その重要性を知っていながら、気軽な態度で告げるからたちが悪い。

「たった二ヶ月ですか？」

「二ヶ月もあるじゃないか。余裕《よゆう》だろう？」

アンの問いにすまして答えたヒューは、キャットに向かって顎《あご》をしゃくる。

「さあ、俺は細かな確認《かくにん》をする。おまえが仕切ってる妖精市場から借り受ける妖精たちの数と、その期間のスケジュールを見せろ。妖精商人たちとの契約《けいやく》関係の書類もな」

「ほんっとに、むかっ腹が立つ。てめぇは……来な。書類は上だ」

キャットは言いながら、ちらりとアンとキースに鋭《するど》い目を向ける。

「聞いたとおりだ。俺はこのボケなす野郎《やろう》に書類を見せなきゃならねぇ。てめぇら、ぼけっとするなよ」

アンははっとして、慌《あわ》てて返事した。

「あ、はい！」

キースも表情を引き締《し》める。

「わかりました。今から、はじめますから」

キャットが階段を上がると、それに続いてヒューが階段に足をかける。その背後に影《かげ》のように付き添《そ》うサリムが、アンの前を通るときに足を止めた。

「アン。あれから、ラファルたちの気配はありませんか」

いつもの無表情だが、彼の気遣《きづか》いがわかる。

「うん。ありがとう、なにもないよ。シャルもいてくれるから、大丈夫《だいじょうぶ》」

「そうですか。彼がいれば安心ですが気をつけて。……彼、優《やさ》しくしてくれますか？」

「いつもどおりよ。頭を小突《こづ》かれて、馬鹿《ばか》だのかしだの言われてるけど」

「それはよかった」

なにが良かったのか、サリムはふと笑ってヒューの後を追って階段をのぼっていった。

彼らを見送ると、キースはアンの肩に手をかけた。

「さあ、僕たちも行こうかアン。キャットが言ったように、ぼやぼやしている時間はないよ」

アンはきゅっと唇《くちびる》を噛《か》み、顔をあげて作業場へ向かった。

作業場に踏みこむと、十五組の妖精《ようせい》の目が一斉《いっせい》にアンとキースに向かった。

──目……。冷たい。

脇《わき》に控《ひか》えたキースが目配せで、「君がはじめて」と言ってくる。

実力は肉薄《にくはく》しているとはいえ、アンは銀砂糖師でキースにはその称号《しょうごう》がない。ここで最初に言葉を発して妖精たちをまとめるのは、アンの責任だ。

──みんなに、わかってもらわないと。

アンは心の中で何度も自分に言い聞かせる。冷静になろうとゆっくり足を運び、彼らの前に立つ。

「あらためてハルフォードです。彼はキース。今日からよろしくね。この七日間、砂糖菓子《がし》の作業をしてもらいたいって事、聞いてるとは思う。それをみんなにお願いしたのは、妖精が育《はぐく》んできた砂糖菓子作りの技術を、妖精のみんなに受け継《つ》いでもらいたいからよ」

妖精たちは、不安で仕方ないはずだ。できるならば数日間、ゆっくりと時間をかけて彼らと打ち解ける時間を作ってから作業に取りかかりたい。

しかしそんな余裕はない。妖精商人たちは、妖精の貸し出しは七日間と期限をつけていた。その間に妖精たちの資質を見極《みきわ》める作業を一通りこなさなくてはならない。

「砂糖菓子を作る妖精は、銀砂糖妖精と呼ばれてるの。ルイストンの王城には、五百年前妖精王に仕えたルルという銀砂糖妖精が匿《かくま》われていて、彼女も妖精の仲間に技術を受け継いで欲しいと願ってる。ルルはとっても素敵《すてき》な人よ。わたしやキースや、銀砂糖子爵《ししゃく》の師匠《ししょう》でもあるし」

竈《かまど》が壁際《かべぎわ》に並ぶ空間に、十五人の妖精たちがいる。銀砂糖妖精という耳慣れぬ言葉と、妖精がアンたちの師匠であるという言葉に、妖精たちがちらりと互《たが》いに顔を見合わせる。

「わたしたちも銀砂糖子爵も、ルルのような銀砂糖妖精が生まれることによって、砂糖菓子がより良いものに変わっていけると考えてる。その考えは、国王エドモンド陛下も同じ。だから王命が発せられ、わたしたちはそれによって、こうやってみんなに来てもらうことにした」

妖精たちは無表情に、じっとアンの方を見ているだけ。彼らの耳に、アンの言葉が届いているかどうかさえ疑わしい。しかし気持ちを奮い立たせて続ける。

「みんなの中から、銀砂糖妖精になる人が現れて欲しい。この七日間で、砂糖菓子作りに興味があって素質があると認められた人は、銀砂糖子爵の権限でここに残ってもらって、砂糖菓子職人の見習いとして修業をはじめてもらう。砂糖菓子職人と認められれば、将来、羽を取り戻《もど》して職人として仕事ができると銀砂糖子爵は言ってるし。あの……でも。それは、いいのかな？　やりたくない人とか、いる？」

その言葉に反応を示す者はいなかった。

彼らの反応の悪さに、気持ちがみるみるしぼんでくる。それを感じ取ったのか、背後に控えていたキースが、さっとアンの前に出てにこやかに告げた。

「みんなの後ろに、作業台がある。そこに三人ずつ分かれてくれたら、銀砂糖を配る。僕たちも同じ台につく。僕たちのやるとおりに銀砂糖に触《ふ》れてみて。さあ、分かれて」

キースの声に、ようやく妖精たちが動き出す。

「ありがとう」

ほっとして礼を言うと、キースは微笑《ほほえ》んでアンの背を撫でてくれる。

「二人でやる仕事だからね。僕も仕事しないと」

さりげなく助け、いたわってくれる彼と仕事ができるのは、ありがたかった。頼《たよ》りになる。

アンとキースは、それぞれ離《はな》れた位置にある作業台についた。アンのついた作業台には、アレルと名乗った、あの藍色《あいいろ》の髪の妖精がいた。彼もまた他《ほか》の妖精同様、無表情だ。

「よろしくね」

同じ台にいる妖精たちに向かって笑顔《えがお》で言ったが、彼らは戸惑《とまど》ったように頷《うなず》いただけだ。アレルに至っては、聞こえないふりをしている。

──ああ……。前途《ぜんと》多難。

内心ため息をつく。

キースの合図で、銀砂糖子爵の下《もと》から手伝いに来ている男たちが、石の器《うつわ》に入れた銀砂糖を妖精たちの前に置いていく。

器に入った銀砂糖の小山に、無表情だった妖精たちの目がひきつけられていく。わずかだが、瞳《ひとみ》に喜びが見えた。銀砂糖の香《かお》りと色は、妖精の本能を刺激《しげき》するのかもしれない。

そこでキースが、アンに目配せをした。

アンはもう一度しゃんと気持ちを入れ替《か》えると、できるだけ明るい声を出す。

「それぞれの手元に、水をくむ石のカップが置かれているよね。それを使って、作業台の脇にある冷水の樽《たる》から水をくんで。その水を銀砂糖に少しずつ混ぜて、練りはじめて」

言いながら手元のカップを高く掲《かか》げて、それを使って樽から水をくむ。その水を銀砂糖に少しずつ混ぜる。水を混ぜる作業がよく見えるように、ゆっくりと手を動かした。

石の器に盛られた銀砂糖の中心に軽くくぼみを作り、冷水を少しだけ注ぐ。そこに銀砂糖をかぶせるようにする。それを二、三度繰《く》り返すと、銀砂糖がほろほろとした塊《かたまり》になってくる。

今度は少し多めの冷水を加え、一気に揉《も》み込むようにする。すると掌《てのひら》の下で銀砂糖が、なめらかにまとまってくる。

「見えにくい人は、わたしの作業かキースの作業、どちらでもいいから近寄って見て」

妖精たちがカップを手にして、ようやく動き始める。冷水をくみ、銀砂糖に加える。

アンは銀砂糖を練りながら、自分の作業台や周囲の作業台に目をやった。

戸惑いながらおっかなびっくりだが、妖精たちはそれでも練りはじめている。

——やっぱり、どこか違《ちが》う。

妖精たちの手つきは、戸惑いにぎくしゃくしている。けれど銀砂糖に触れて、ぎゅっと力をこめたり、あるいはまとめたりする手つきや力加減が、銀砂糖の触れ方を熟知している職人のように適度なのだ。

特に同じ作業台にいるアレルは、ぞんざいに冷水を加えているように見えるのに、銀砂糖がすぐにまとまる。銀砂糖がまとまると、冷水を今一度加えて、二、三度ぐいぐいと練った。すると銀砂糖に、なめらかな艶《つや》が生まれる。他の妖精たちに比べて大きな手が、意外なほど繊細《せんさい》に動く。

ヒューが言ったように、銀砂糖妖精の資質がある妖精たちなら、たった二ヶ月でもかなりの技術の習得が可能だろう。

思わずアンは手を止めて、彼らの手の動きを眺《なが》めていた。

――銀砂糖妖精の資質は、たくさんの妖精たちの中にある。

彼らの中から銀砂糖妖精が生まれるのは、けして夢ではない。

しかし。突然《とつぜん》アレルが手を止めて、アンを見る。その他の妖精たちも次々に手を止め、アンとキースの方にもの問いたげな視線を向けてきた。

――え？　なに？

妖精たちは全員手を止め、なにかを待つように動かなくなった。アンはわけがわからず、助けを求めてキースを見やった。しかしキースもまた、妖精たちがなにを待って手を止めてしまったのか理解できないらしく、ぽかんとしている。

誰《だれ》も動かないしなにも言わなかった。しばらくして、アレルが苛々《いらいら》したように口を開く。

「練ったぜ」

「え？」

「命令通り、銀砂糖を練った。それで？　どうすればいい」

「え？　えっと、しばらく練って欲しいの」

「いつまでだよ？」

大きな太い声で、責め立てるように矢継《やつ》ぎ早《ばや》にアルルは問いかける。大型犬に吠《ほ》えつかれているような感じがする。

「艶が出て綺麗《きれい》になったって思えるまで練って欲しいんだけど」

「艶は出たぜ。綺麗になった」

アルルの手元にある銀砂糖は、短時間で見事にまとまっていた。光沢《こうたく》も出ているのだが、その艶がもっと銀砂糖全体で均等になる必要がある。

「もっと綺麗にならないと」

「もっと綺麗というのは、わからない。あんたたち人間が判断して、命じてくれ。まだ練り続けろ、もうやめろと、命じてくれ」

思わず、アンはキースと顔を見合わせた。

資質を見極《みきわ》めるためには、銀砂糖を扱《あつか》う手先の動きだけでなく、彼ら自身の判断力を見る必要がある。どの程度で「練りは充分《じゅうぶん》」「練りが足りない」と判断するか。どの程度の工夫《くふう》をして、銀砂糖の艶を出そうとするか。そういった、直感的な判断力と、どうやってどこまで工夫を凝《こ》らすかの発想力と熱意を見る。

すべてを命じていては、妖精《ようせい》たちに銀砂糖を練る作業を強《し》いているだけだ。そうなれば、ただ手先の器用さを見極めるだけになってしまう。

しかし、妖精たちが自分たちを見る目の冷たさでアンは悟《さと》った。

――今のままでは、ほんとうにただ、妖精たちに作業を強いているだけなんだ。

自分たちの見こみの甘さを、腹の奥に打ちこまれた拳《こぶし》のように感じる。

どうすればいいのか。ただこのまま作業を続けていてはいけないことだけはわかった。

「キース。ねぇ、今日は、ここまでにしよう。みんな到着《とうちゃく》したばかりで場所に慣れてないし」

告げると、キースも厳しい表情で頷く。

「そうだね。……考える必要があるかもしれない。僕たちは」

妖精たちには、たった二ヶ月で派閥《はばつ》の職人が納得《なっとく》する技術を習得する能力がある。しかしそれを習得してくれるかどうかは、まったく別問題なのだ。

アンはやっと、ヒューのにやりとした笑いの真意が理解できた。彼はこの困難をある程度予測していたのだろうが、それを教えてはくれない。ヒューは尊敬できるし、信頼《しんらい》もできる。しかし。

――意地悪い……。

キャットに嫌《きら》われて当然だ。というか、嫌われてしまえと一瞬《いっしゅん》思った。

二章　二度目の失敗

　その日の夕食後、ようやく二日酔《よ》いから復活したミスリル・リッド・ポッドは、妖精たちの作業の様子を聞くと目を三角にして怒鳴《どな》った。

「あいつら、やる気ないのか!?」

　夕食は二階の小ホールに長テーブルを並べ、アンたちと妖精たち全員が同じ食べ物を同じ場所でとった。しかし食事は静かなもので、食器がふれあうわずかな音だけが響《ひび》いていた。雰囲気《ふんいき》は最悪だった。

　たくさんの仲間が集められているというので、最初ミスリルは、うきうきした様子で夕食の席に着いた。周囲の連中に「よろしく、よろしく」と陽気に声をかけていたが、相手のあまりの反応の悪さにすぐに静かになった。夕食が終わり、妖精たちは黙《だま》って部屋に帰った。

　アンとキース、キャット。そしてシャル、ミスリル、ベンジャミンの六人だけは、一階の作業場に場所を移し、明日からの対応を考えることになった。

　そこで今日の作業の様子をアンとキースが話すと、一番憤慨《ふんがい》したのはミスリルだ。

　アンとキース、キャットの三人は、一つの作業台を囲むように丸椅子《いす》を引き寄せて座っていた。その作業台の上に仁王《におう》立ちして、ミスリルは気炎《きえん》を吐《は》く。

「そんな奴《やつ》ら首にしろ！　そのかわりに俺様が百人ぶんの、立派な銀砂糖妖精になってやる！」

「いきなり妖精市場から連れてこられて、砂糖菓子《がし》職人の修業《しゅぎょう》をしろと言われて、やる気満々で作業を始められるほど単純か？　おまえは」

アンたちが座る作業台近くの壁《かべ》にもたれかかっていたシャルが、淡々《たんたん》と言う。

「それにわざわざ言うのも馬鹿馬鹿《ばかばか》しいが、おまえが銀砂糖妖精云々《ようせいうんぬん》というのは論外だ」

「なにが論外だ！　俺様の腕前《うでまえ》を見ろ！　おい、ベンジャミン。手伝え」

ミスリルはぴょんと作業台を飛び降り、肩《かた》を怒《いか》らせて銀砂糖を保管してある樽《たる》に向かって行く。キャットの肩の上でとろとろと眠《ねむ》そうにしていたベンジャミンは「ふわぁい」と、欠伸《あくび》だか返事だかわからないような声で答えると、のろのろとキャットの肩を下りていく。

キャットはふむと腕《うで》組みして、眉《まゆ》をひそめる。

「シャルの言うとおりだな。でもなんとかやる気になってもらわなけりゃ、話になんねぇ。あのボケなす野郎《やろう》は、二ヶ月で妖精たちをそれなりにしろといってやがるしな。あの野郎、にやにやしながら帰って行った」

「みんなどうして、やる気になれないのかな？」

アンの問いに、シャルが答えた。

「銀砂糖妖精になっても結局、砂糖菓子を作る奴隷《どれい》になるだけだと言っていた」

「ヒングリーさん。職人として認められれば、羽を取り戻《もど》せる可能性があることは説明されたんですよね？」

キースが訊《き》くと、キャットはさらに眉間《みけん》の皺《しわ》を深くする。

「したぜ。それがあいつらにとって、一番のメリットだ。でも信じちゃいねぇ。見たろ、あのしらけた態度」

妖精商人から妖精を借り受ける七日間、彼らの羽は妖精商人が保管している。しかしその後資質を認められた妖精の羽は、妖精商人ギルドとの交渉《こうしょう》で決定した、特別な安値で銀砂糖子爵《ししゃく》に買われる。彼らは銀砂糖子爵の管理下に入り、この城で砂糖菓子職人として修業するのだ。

買い取られた後もしばらく、彼らの羽は銀砂糖子爵の所有となる。

さすがに、すぐに羽を返してしまうのは不安だというのがヒューの意見だった。

羽を取り戻した途端《とたん》、修業もしないで逃《に》げ出す可能性は低くない。そうなってしまえば計画が進まない上に、無駄《むだ》な資金を使い続け、この計画そのものが立ちゆかなくなる。

しかし彼らが職人として独り立ちできるほどになり、職人として生きていくことを本気で受け入れたならば、その時は羽を返すことを考えようとヒューは約束した。それが理想的だとも言っていた。

妖精が自分の生きる道を砂糖菓子職人と決め、人間と同様に工房《こうぼう》で働く。

それはアンが、ルルと出会った時に思いついた、砂糖菓子《がし》工房《こうぼう》の理想の姿なのだ。

だが所詮《しょせん》、人間は信頼できないと妖精たちに思われている。

「人間がいくら約束しても、駄目《だめ》なのね」

そうさせてしまったのは、他《ほか》ならぬ人間自身だ。人間では駄目なのだ。そしてふと思いつく。

「ねぇ。人間が駄目なら、妖精は？」

誰《だれ》ともなしにアンが問いかけると、いきなり「はははははっ！」と背後から高笑いが聞こえた。ミスリルが背後の作業台の上で腰《こし》に手を当て、笑っている。

彼は、アンとキース、キャットに向かってびしっと親指を立てる。

「アン。いいこと言ったな！　俺様の出番じゃないか！　要《よう》はだな、実際妖精が活躍《かつやく》している姿を見せればいいんだ。俺様は妖精たちのリーダーになって、砂糖菓子作りのリーダーになってやるんだ！　見ろ、俺様の腕前！　今の隙《すき》に、ちゃっちゃっと作ってやった。この早業《はやわざ》！」

ミスリルは誇《ほこ》らしげに言うと、さっと横に飛び退《の》いた。すると彼の背後に置いてあった、ごちゃっとした奇妙《きみよう》な塊《かたまり》が現れる。銀砂糖の塊らしいのだが、ざらざらぶつぶつの表面に、黒や茶や深緑の色が混在し、ひび割れや奇妙な突起《とつき》があらゆるところにある。

「それは……。……………。なにか前衛的な……オブジェ…………」

キースは口ごもるが、キャットは率直《そつちよく》に訊く。

「その気持ちの悪いものは、なんかの呪《のろ》いの道具かよ？」

「違《ちが》う！　おまえの目は節穴か！　これはアンの顔だ！」

「わたし!?」

「意味のある形だったのかい!?」

アンとキースが同時に声をあげて目を見開く。

「俺様は去年のアンの誕生日に、アンの顔を作ってやったことがあるんだ。二回目だから、前よりはうまくできたぞ！」

妖精《ようせい》は人間よりも銀砂糖の扱《あつか》いがうまい。が、例外もいるらしい。ミスリルはどう考えても、絶望的に、銀砂糖の扱いが下手《へた》だ。なのに本人の鼻息はすこぶる荒《あら》い。

「いくらかかし頭でも、そこまでひどくはない」

シャルが顔をしかめる。

「ひどいだって!? これのどこがだ!?」

「いいと思うなら、おまえが自分で食べてみろ。形が良ければ、味はいいだろう」

「馬鹿《ばか》にしやがって。分けてくれって言っても、やらないからな！　後悔《こうかい》するなよ！」

ミスリルはがばっと自分の作った奇妙な砂糖菓子に抱《だ》きついて、すうっと空気を吸い込むように深呼吸した。藻《も》がはびこる沼地《ぬまち》色の砂糖菓子に触《ふ》れた彼の掌《てのひら》がほんのりと輝《かがや》き、その箇所《かしょ》だけがわずかに崩《くず》れ、光になって掌に吸い込まれる。

「お……………おおおぉぇぇぇぇ────────!!」

途端に、ミスリルは砂糖菓子から飛び退いて、きりきりとその場で二、三回転したかと思うと、がっくりと四《よ》つん這《ば》いになった。そのまま動かなくなる。

「ミスリル・リッド・ポッド！」

アンが悲鳴をあげて立ちあがると、ベンジャミンがちょこちょことミスリルに近寄って行き、顔をのぞき込む。そして様子を確認《かくにん》すると、ふわふわと笑いながら顔をあげた。

「大丈夫《だいじょうぶ》だよ〜、気持ち悪くて金縛《かなしば》りになってるだけみたい〜。これ猛毒《もうどく》っぽいけど、ただの砂糖菓子だもん。心配ないもん。無害だもん」

「妖精を金縛りにする砂糖菓子が無害じゃねぇだろ……。兵器かよ……」

妖精の寿命《じゅみょう》さえ延ばす聖なる食べ物である銀砂糖を、ミスリルが驚異《きょうい》の異物に変貌《へんぼう》させたことに衝撃《しょうげき》を受けたらしく、キャットが青くなる。

さもありなんといった表情でミスリルを冷たく眺《なが》めていたシャルだったが、ミスリルがぴくりとも動かないので飽《あ》きてしまったらしく、ようやくアンに向き直る。

「こいつの言ってることは大概《たいがい》たわごとだ。だが、一つだけ悪くないことを言った」

悪くないことというのがまったくわからなかったので、アンはきょとんとする。シャルは続けた。

「『実際活躍している姿を見せればいい』。砂糖菓子職人の見習いとして働いている妖精がいることを、教えてやれ。そいつは砂糖菓子職人になるために、自分の羽を取り戻していながら、自分の意志で砂糖菓子工房に住み込んで、人間に混じって見習いをしているとな」

「あっ！　ノア！」

ようやくぴんときた。どうして思い当たらなかったのだろうか。

十五年前にハーバートから羽を返してもらったノアには、もう主人がいない。ホリーリーフ城を離《はな》れると決めたからには、彼は自由に何処《どこ》へでも行けた。なのに彼は砂糖菓子を作りたいからと、自らペイジ工房の人たちと行くことを決めた。そして今、ペイジ工房で人間たちとともに見習いの仕事をしているのだ。

ノアの存在を知ってもらえれば、妖精たちの考えも変えられるかもしれない。

「名案だと思うよ」

キースも頷《うなず》くと、キャットが腰を浮《う》かす。

「すぐにエリオットの野郎に連絡《れんらく》しなくちゃならねぇな。ノアをここに呼び寄せる。本物を見りゃ、妖精たちも信じるだろう」

「けれど、それでなにか変わってくれるかな？　ノアにも無理をさせることになるだろうし」

アンの言葉に、腰を浮かしたキャットが苦い顔をする。

「最善策じゃねぇのは、ここにいる全員わかってるさ。けど、他に有効な手段を思いつけねぇ」

キャットの言う最善策がなんなのか、アンにもわかっている。

――妖精のみんなに、羽を返すこと。

けれどそれができないのだから、他の手段を探すしかないのだ。

「とりあえずだけど、やれることはやってみようよ」

「うん。そうだね……」

自分たちは正解を知っていながら、別の答えを探そうとしている。その居心地《いごこち》悪さがあるのだが、今はそうするしかない。キースの言葉に、アンも頷いた。


キャットはその場ですぐに、エリオット宛《あて》の手紙を書いた。それを明日の朝一番で出すことになった。手紙は明日中にはミルズフィールドに到着《とうちゃく》して、エリオットの対応が早ければ、明後日《あさって》に返事がもらえるはずだった。

対応策がひとつでもあることに安心したのか、アンもキースもキャットも、明日に備えてすぐにベッドに潜《もぐ》りこんだ。ベンジャミンはキャットと一緒《いっしょ》のベッドに潜りこみ、ミスリルは当然、アンのベッドに入った。

キースとキャット、ベンジャミン。さらにアンとシャルとミスリルは、同じ部屋に寝起《ねお》きしていた。彼らの寝る部屋は、集められた妖精たちと同じ作りで同じ並びにある。

部屋数を確保するためにそうしたのだが、同時にそうやって、人間たちも妖精たちと同じ環《かん》境《きょう》でいなければ、職人として対等の立場に立てないという配慮《はいりょ》からだった。

二段ベッドが三台も詰《つ》め込まれた部屋の中で、人間と妖精たちの健《すこ》やかな寝息《ねいき》が聞こえる。

シャルはすぐに眠《ねむ》る気にならず、ふらりと庭に出た。

夜風は心地《ここち》よい。

「おまえは、人間によく躾《しつ》けられてるらしいな」

立ち止まって真っ二つの月を見あげていると、背後から声がした。声には、苛立《いらだ》たしさと侮《ぶ》蔑《べつ》がある。

誰かが近づいてくる気配はわかっていた。ふり返ると、アレル・シル・メイがシャルを睨《にら》むようにして立っている。雲に遮《さえぎ》られず、月光が、草葉の影《かげ》を地面に落とすほどに降り注いでいた。アレルの藍色《あいいろ》の髪《かみ》も、月光に照らされぬめるような強い艶《つや》で光る。アレルの濃《こ》い色の羽は、月光を透《す》かして深海の青だ。

「最初からここにいるおまえたちは、俺たちよりも人間に肩入《かたい》れしているらしいな」

シャルたちが、ここにいる人間たちと信頼《しんらい》関係を築いているのがわかったのだろう。けれどそれがアレルから見れば「躾けられている」ということらしい。

「彼らと俺たちは、対等な関係だ。俺の羽は、俺の手にある。俺の羽を持っていた人間が、俺に羽を返した。俺は自分の意志でここにいる」

「それならなぜ逃《に》げない!?　自由が欲しくないのかよ!?」

「俺は自由だ。使役《しえき》されているわけではない」

「おまえが本当の意味で自由の身だってなら、協力してくれ。妖精市場に行って俺たちの羽を……」

「断ると、昼間も言った。そんなことをすれば、計画が破綻《はたん》する」

その言葉に、アレルの朱色《しゅいろ》の瞳《ひとみ》に怒《いか》りが灯《とも》る。拳《こぶし》を握《にぎ》り歯を食いしばり呻《うめ》く。

「やっぱりな……。おまえは、自由のつもりらしいが。人間どもにいいように調教されているんだぜ。わかってるのか」

「俺が人間に肩入れしているように見えるのは、わかる」

「見えるんじゃなくて、肩入れしてるだろうがよ！」

大声で怒鳴《どな》り、アレルはシャルに詰め寄った。ぎょろりとした大きな目は、単純でまっすぐな気性《きしょう》を物語るように、感情を隠《かく》さない。シャルよりも背が低いくせに、がっちりとした体は感情の高ぶりで大きく見える。

「なんで、仲間の自由よりも人間の計画を優先する！」

拳を固めて、シャルの腹めがけ、下からえぐるように殴《なぐ》りかかってきた。シャルは飛び退《の》き拳をかわし、飛んできた二発目の右拳を片手で受け止めた。じりっと押されるが、ぐっと押さえ込んだ。

「くそっ！」

力の差を感じたのか、アレルは吐《は》き捨てて拳をひく。

「アレル。自由になった、その先を見ろ」

怒りをたぎらせるアレルに、シャルは静かに告げた。

「なんだって？」

「自由になったその先に一歩踏《ふ》み出して、崖《がけ》っぷちだったらどうする？　考えろ」

「考えてるぜ！　俺は自由になって、すぐに探す……」

と、なにかを言いかけたアレルは、苦いものを呑《の》んだような顔になり押し黙《だま》る。

「なにか目的でもあるのか？」

問いかけたが、アレルは口を閉《と》ざしたまま首を振《ふ》った。

「とにかく俺たちは自由が欲しいんだ。自由になりさえすれば」

「自由の先だ。アレル」

眉《まゆ》をひそめるアレルに背を向けて、シャルは歩き出した。

アレルの気持ちが、痛いほどわかる。

妖精《ようせい》商人の手元で鎖《くさり》につながれていた時には、自由ばかり求めていた。とにかく人間の手から逃《のが》れ、自由になることしか考えられなかった。

けれどこうやってアンと出会い、様々な人間と出会い、銀砂糖妖精ルルと出会って知ったことは、自由になった先を考える必要性だ。

もしシャルが妖精商人の隙《すき》を突《つ》いて逃げ出して自由を得たのであったら、おそらく今の自分ではいられなかった。ラファルと似た生き方をしたかもしれない。そんな生き方をしていれば、未来の事など考えなかっただろう。人間に狩《か》られないように逃げ、戦い、荒野《こうや》を彷徨《さまよ》い生きながらえる。

それは自由ではあるかもしれない。だが、希望も未来もない。希望も未来もないという意味では、捕《と》らえられ使役されていた時と変わらない。

城館の中へ戻《もど》りながら、シャルはため息をついた。アレルのあの様子を見る限り、おそらく、生半可な対応策では彼らの気持ちを銀砂糖へ向けることは不可能だ。

——ノアの存在に、彼らがどこまで心を動かされるか。

妖精たちがホリーリーフ城にやって来て、三日目の朝だった。

カーテンの隙間《すきま》から射《さ》しこむ朝日で、アンは目覚めた。部屋の内部は、まだ静かだ。皆疲《みなつか》れがたまっているらしく、気持ちよさそうな寝息が聞こえる。

アンはみんなを起こさないように、カーテンの陰で着替《きが》えはじめる。そうしながらも気になるのは、妖精たちのことだった。

——このままじゃ、誰《だれ》を選ぶこともできない。

二ヶ月後には、派閥《はばつ》の職人たちを納得《なっとく》させられるほどの技術を、妖精たちは披露《ひろう》する必要がある。それなのに、技術の習得どころか、肝心《かんじん》の妖精を選ぶことすらできないとなると、絶望的だった。

妖精たちにやる気がないのは変わらなかったが、だからといってなにもやらないわけにはいかない。昨日は予定通り、銀砂糖に触《ふ》れる作業を続けてもらった。だが結果は前日と同じ。

そして今日もまた、結果はわかっているのに同じことを繰《く》り返さなくてはならない。

こんな状態では、せっかく集めた妖精を、誰一人として銀砂糖妖精候補に選ぶことなく市場に帰すはめになる。

その時ふと、耳が微《かす》かな響《ひび》きを拾う。

「歌？」

動きを止め、窓の外でざわめく風の音に紛《まぎ》れそうな歌声に耳を澄《す》ます。

それはハイランド王国全土に広く流布《るふ》している歌だ。特に農村の祭りでよく歌われる、恋《こい》する娘《むすめ》が、恋しい人のために砂糖林檎《りんご》を探すという歌詞で、たわいなくて愛らしい。

恋しい人を振り向かせるために、自分に幸運を授《さず》けてくれる砂糖菓子《がし》が欲しい。けれど砂糖菓子職人が、銀砂糖がないから砂糖菓子は作れないと首を振る。娘は砂糖林檎を探して、森で出会った妖精に銀砂糖を一握《ひとにぎ》りもらう。

そんな歌詞だったと記憶《きおく》している。

その歌声は低いが、明朗な感じのする聞き取りやすい男の声だ。しかし、誰に聞かせるための歌とも思えない。一人きりになった時に、ふと楽しかった昔を思い出したため息をつくように、無意識に口ずさんでいるようだ。

——ママの歌みたい。

男の声なのに、なぜかエマの歌を思い出す。旅から旅の野宿生活をしている時、焚《た》き火の脇《わき》でアンが眠《ねむ》りこんでも、エマは一人起きて焚き火の番をしていた。木の棒で炎《ほのお》をかきおこし、薪《まき》を放《ほう》りこみながら呟《つぶや》くように歌っていた声に、響きが似ている。

歌声はどこから聞こえてくるのだろうかと、ガラス窓越《ご》しに外を見る。

すると城の前庭に、細っこい人影《ひとかげ》があるのに気がついた。

片手に小さな旅行鞄《りょこうかばん》をさげ、身の丈《たけ》よりすこし大きめの職人風の上衣《うわぎ》とズボンを身につけている。背には、腰《こし》辺りまでの可愛《かわい》らしい羽が一枚ある。彼は、風にさらさらと踊《おど》る自分の紫《むらさき》色《いろ》の髪を片手で押さえ、風の音に紛れそうな歌声に耳を澄ましているかのようだった。

「ノア！」

アンは思わず声をあげ、カーテンの陰から飛び出ると駆《か》けだした。部屋から出る時に、部屋の中にいる仲間たちが目を覚ました気配がした。けれど嬉《うれ》しくて、かまっていられない。

一気に廊下《ろうか》を抜《ぬ》け階段を駆《か》け下りて、玄関扉《げんかんとびら》を開けた。

「ノア！」

呼ぶと、庭の真ん中にいたノアは、ぱっと笑顔《えがお》になってアンの方を見た。そして旅行鞄をその場に放り出すと、こちらに向かって全速力で走ってきて、ぶつかるようにアンにしがみつく。

「アン！　僕、来たよ！」

小柄《こがら》な妖精を抱《だ》きしめ返す。

「びっくりした！　なんでこんなに早いの⁉」

「コリンズさんの指示なんだ。昨日の夕方にキャットから手紙が届いて、コリンズさん、すぐ馬車を手配して僕を乗せてくれて。街道《かいどう》は安全だからって夜通し馬車は走ってくれて。あ、これ。手紙を預かってきた」

ノアはアンから離《はな》れると、懐《ふところ》を探《さぐ》って一通の封書《ふうしょ》を取り出してアンに渡《わた》した。

キャットは昨日、エリオットに手紙を出した。こちらの事情を説明し、ノアをしばらくこちらで修業《しゅぎょう》させて欲しいとしたためたらしい。エリオットはそれに、すぐに応《こた》えてくれたのだ。渡された手紙を開くと、「事情はわかった。うちの見習いをしばらくよろしく」とだけ書かれていた。

エリオットは、やることに無駄《むだ》がない。急ぎの手紙なので最低限の言葉しか書かれていないが、「うちの見習い」と記した彼の気配りがわかる。彼なりにノアを心配しているのだろう。

ノアが気がかりなのは、アンも同様だった。

ペイジ工房《こうぼう》で働きはじめたノアが心配で、アンは度々《たびたび》、エリオットに手紙を出してノアの近《きん》

況《きょう》を訊《き》いていた。エリオットはいつも事細かに、様子を書いて返信をくれていた。

ノアはペイジ工房で、うまくやっていたらしい。

一人の見習いとして、人間の見習いたちと一緒《いっしょ》の場所に寝起きし、食事をし、仕事をしていた。

最初のうちこそ職人も見習いも、ノアの存在に戸惑《とまど》っていたという。だが見習いとして入ってくる、まだ子供子供した少年たちは柔軟《じゅうなん》だ。少しずつノアの存在に慣れ、ノアにも友だちと呼べる仲間ができたと、最新の手紙には書かれていた。

せっかく居心地《いごこち》の良くなった場所から、彼を引き離してしまったのが申し訳ない。

けれど妖精たちの気持ちを変えていくためには、ノアの存在が必要だった。

エリオットの気遣《きづか》いを受け取るように、アンはしっかりと手紙をポケットにしまった。

「来てくれてありがとう。それに、ごめんね。せっかくペイジ工房でがんばってたのに」

ノアははにかんだ微笑《ほほえ》みを浮《う》かべる。

「いいの。あの、僕ね。ちょっと、嬉しくて」

「嬉しい？」

「うん。嬉しい。必要だって言ってもらえるの、嬉しいから。それにここには、アンとキャットもいるでしょ？　銀砂糖師が二人もいる工房で働けたら、すごく勉強になると思うもの」

以前と比べて、ノアの顔つきが少しだけ違《ちが》う。妖精なのだから人間のように、肉体的な成長や衰《おとろ》えがあるわけではない。

ただ、以前は弱々しくて不安げだったノアの紫《むらさき》の瞳《ひとみ》には、今、しっかりと自分の足で立とうとする意志が感じられる。

「そう言ってもらえて、良かった。さ、中に入ろう。朝食まだでしょう？」

「うん！」

久しぶりに足を踏《ふ》み入れるホリーリーフ城を見あげたノアは、嬉しそうだった。放り出していた鞄《かばん》を拾い上げると、アンとともに城館に入った。

アンが大慌《おおあわ》てで部屋を飛び出していったおかげで、同じ部屋に寝《ね》ていた全員が目を覚まし、またノアの到着《とうちゃく》がわかったらしい。

肩《かた》の上にミスリルを乗せたシャルと、すこし眠そうな目のキース。そして、懐にぐうぐう眠るベンジャミンを突《つ》っこんだキャットが、小ホールに出ていた。彼らは手すり越しに玄関《げんかん》ホールを見おろしていた。

「いらっしゃいノア。到着が早いね」

キースが首のタイを結びながらも、にこやかな挨拶《あいさつ》をしてくれた。キャットが軽く手をあげる。

「来たな、ちび助。エリオットの野郎《やろう》、了解《りょうかい》の返事がわりにおまえを寄越《よこ》したんだろ」

アンとノアは、早足に階段を上がった。

「みなさんお久しぶりです。僕、来ました」

階段をのぼりきり小ホールに立つと、切りそろえた紫色の髪《かみ》を揺《ゆ》らして、ノアが頭をさげる。

「シャルもミスリルも、久しぶり……」

ノアは妖精《ようせい》たちの方にも笑顔を向けたが、急に目をぱちくりさせてミスリルを見つめる。

「なんだ？　俺様の顔になにかついてるか」

「ミスリル・リッド・ポッド。縮んだ？」

「縮んでない！　断じて、縮んでないぞ！　縮んでたまるか！」

「え、そう？」

ノアは不思議そうに小首を傾《かし》げる。

聖ルイストンベル教会の鐘《かね》の音が、遠く聞こえた。それを合図に、各部屋で休んでいた妖精たちがぞろぞろと小ホールに出てきた。彼らが到着した翌日から、聖ルイストンベル教会の鐘の音で起床《きしょう》、仕事始め、仕事終わり、食事をはじめると決めていたからだ。

集まってきた妖精たちは、ノアを横目に見ながらも長テーブルにつく。ノアの存在が気になるのだろうが、誰《だれ》も質問しないし近寄ってこない。彼らはけして規律を乱さない。

妖精たちの様子にすこし不安な表情を見せたノアに、アンは確認《かくにん》した。

「彼らが妖精市場から来てる人たちよ。今日から一緒に仕事するの。紹介《しょうかい》するけれど、いい？」

ノアはきゅっと唇《くちびる》を噛《か》み、しっかり頷《うなず》く。

アンはノアの背を押して、妖精たちの長テーブルに近づいた。

「みんな紹介するね。今日から一緒に修業してもらうことになった、ノアよ。ノアはずっと昔に自分の手に羽を取り戻《もど》して自由の身なんだけど、半年ほど前にわたしたちと会って砂糖菓子《がし》職人になりたいって言ってくれて。それで、みんなより一足先に修業を開始したの」

自由の身というアンの言葉に、妖精たちが顔を見合わせざわめく。

こくりとつばを飲み、ノアは勢いよく頭をさげた。

「よ、よろしく。ノアです！　一緒に働きます！　ががが、がんばります！」

しんと、静かになる。そろそろと顔をあげたノアと妖精たちの目が合ったが、妖精たちは無言無表情だ。ノアは気まずそうに、もじもじと持っている鞄の取っ手をいじる。

「あの。好きなものとか、特技とか……言った方がいい？」

「いや、いらねぇ。挨拶は充分《じゅうぶん》だ。ありがとうよ。とりあえず朝飯を食え。そろそろ料理ができあがる頃《ころ》だから、運ぶぜ。そこの三人、手伝え」

場の雰囲気《ふんいき》を読んで、キャットが動き出した。

キャットは近くにいた妖精を手招きして、階段を下りていく。アンはノアに朝食の席を用意して、座らせた。妖精たちの間にちんまりと座っているノアは、ひどく居心地が悪そうだった。

——ごめんね。ノア。

胸が痛んだ。

朝食後、アンはキースとキャットと一緒に一階の作業場に向かった。

時間を決めて動いているので、妖精たちは全員作業場にそろっていた。朝食の席から妖精たちに仲間入りしたノアも、集団と少し離れたところに目立たないように控《ひか》えている。

今日は銀砂糖を練り、その後、生地《きじ》を薄《うす》くのばす作業をする段取りになっていた。練り作業で銀砂糖の扱《あつか》いのセンスを推《お》し量るのと同時に、道具の使い方で手先の器用さを見るためだ。

一昨日《おととい》と昨日と同様に、妖精たちがそれぞれの作業台に分かれると、そこに銀砂糖が配られる。ノアは、藍色《あいいろ》の髪の妖精アレルと同じ作業台にいた。

練りの作業が始まる。

アンとキース、キャットは、それぞれ散らばり、作業台の間を縫《ぬ》うようにして妖精たちの様子を見て回った。彼らの技量を見るとともに、手の使い方や水の加減を教えた。

だが妖精たちは、目的もなく同じ事を繰《く》り返すのに飽《あ》きてきたらしい。動きがにぶく、雑で、おざなりだ。その中でノアだけが、手元に視線を注いで目をそらさない。

ノアの手の下で、銀砂糖の艶《つや》がみるみる増す。真っ白くてさらさらした銀砂糖がまとまり、なめらかな艶が生まれる。

周囲の妖精たちがそれに気がつき、思わず見入っている。

「うまいもんだな」

妖精の一人が感心したように呟《つぶや》くと、ノアは照れたのか顔を赤くして俯《うつむ》く。

「僕なんか……まだへたっぴだもの」

「ううん。すごく綺麗《きれい》よ。おいしそう」

背後の作業台から、妖精の女性がノアの手元を覗《のぞ》きこみうっとりしたように言う。確か彼女の名前は、エメレ・トルテ・レイと言った。金色の輝《かがや》きがある、独特な瞳の色をしている。

ノアはエメレに褒《ほ》められ、ますます赤くなるのだが、小ぶりの羽がぴんとして薄い紫の輝きが増す。その様子に、エメレがころころと笑う。

「あら、可愛《かわい》い。坊《ぼう》や顔が赤いわ」

「そそそ、そんなこと」

慌てるノアを柔《やわ》らかく見つめながら、エメレが呟いた。

「わたしもそんなふうに上手になったら、あなたみたいに羽を取り戻せるのかしら」

妖精たちの間を歩き回っていたアンは、そのやりとりを耳にしてすこし気持ちが明るくなる。ノアの存在が、この場の雰囲気を変えてくれるかもしれない。

そんな期待が生まれた時。

「そうやって上手に曲芸をこなしたから、ご褒美《ほうび》に羽を返してもらったのか？」

せせら笑うような、嫌悪感《けんおかん》の滲《にじ》むアレルの声を聞き、アンはぎょっとなってふり返った。

アレルがいつのまにかノアの近くに寄っていて、顔を覗きこむようにしている。ノアは頬《ほお》をひっぱたかれたような表情になり、動きを止めた。

「羽を手にしても、今のおまえは自由か？　おまえこうやって人間様の望み通りの仕事をして、望み通りに振《ふ》る舞《ま》って、自由になったつもりかよ？」

「アレル！　ノアはわたしたちと同じ職人よ！　侮辱《ぶじょく》しないで！」

アンは思わず大声を出して、アレルに詰《つ》め寄った。その声にキースもキャットも気がついて、こちらに早足でやってくる。

アレルを睨《にら》みつけたが、彼は平然としている。

「侮辱？　あんたたちが、俺たちに言ったことだぜ」

「なにを言ったの？　わたしたちが」

「言ったぜ。職人になれば、羽を返してやるってな。ご褒美やるから、曲芸を覚えろってのとなにが違《ちが》う」

一瞬《いっしゅん》、息が止まりそうになった。

キースとキャットも、表情を変えた。

——正しい。

アレルの言葉のまっとうさが理解できた。

妖精たちが妖精の技術を受け継《つ》ぐため。ひいては、それを足がかりにして妖精と人間の関係を変えていくため。そればかり思って、アンは仕事を進めていた。

だがその思いが伝わっていなければ、自由を餌《えさ》にして仕事を仕込もうとしているだけだと思われても仕方ない。

シャルと出会って間もない頃、彼に言われた言葉がありありと蘇《よみがえ》ってくる。

『相手の命を握《にぎ》っておいて、お友達か？』

あの時と同じだ。

青ざめて言葉が出ない。そんなつもりはないのだと言い訳しても、現実は変わらない。なぜならアンたち自身ですら、自分たちのやっている事が、正解でないとわかっていたのだから。

アンたちは、正解をわかっている。

だがその答えの通り動けないからと、無理矢理《むりやり》理別の答えを見つけてきたのだ。

自分たちですらその認識があるのに、妖精たちを納得《なっとく》させられるわけはない。

「……僕は」

細い声が、言葉の出ないアンのかわりにアレルに向かって発せられた。ノアだ。

ノアは両手を握りあわせて震《ふる》えていた。侮辱されたことに怒《いか》り、そして同時に、同じ妖精に投げつけられた言葉に傷ついたのだろう。しかしアレルの目をまっすぐ見ていた。

「僕は、何処《どこ》へでも行けたんだ……。羽を返してもらったから、何処へでも行けたんだ。けれど行かなかった。僕は役に立たなくて、大切な人になにもしてあげられないままで、それをすごく後悔《こうかい》したから。だから僕は、何かできるようになりたい。それで僕は砂糖菓子《がし》を作りたくて、人間と一緒《いっしょ》に、人間の砂糖菓子工房《こうぼう》に行った。自分で選んで、行った。嘘《うそ》じゃないよ。今、僕が仕事を放《ほう》り出して逃《に》げたって、ここの人間はなんにも言わないよ。僕は自由だよ！」

叫《さけ》ぶように言うと、ノアは俯いた。アンはノアの傍《かたわ》らに寄り、肩《かた》を抱《だ》いた。

「ごめんね、ノア。わたしたちが、ここに来てってお願いしたばかりに……」

ノアは顔をあげ微笑《びしょう》した。

「いいの」

申し訳なくて涙《なみだ》が出そうだった。

「わたしたちは、アレルが言ったようなつもりだったんじゃない。それを証明する。きちんとした方法で」

自分の愚《おろ》かさを嘆《なげ》くことは許されない。嘆くかわりに、考えるのだ。

――気持ちだけでは駄目《だめ》だ。言葉で約束しても駄目。信じてもらって、本当に、妖精《ようせい》たちと対等でいられるようにしないと意味がない。

アンはノアの肩を力づけるようにぐっと抱いてから、彼を離《はな》した。そして顔をあげ、アレルと真っ正面から対峙《たいじ》した。

「あなたが正しいアレル。わたしたちの気持ちがどうあれ、みんなにとってみたら、わたしたちのやってることは、アレルが言ったことそのものだわ。だから方法を変えたい。わたしたちの気持ちや意図がはっきりわかるようにする」

そう告げてから、アンはキャットとキースに目を向けた。

「キース。キャット。わたし、ヒューにお願いしたいの。やり方を変えさせて欲しいって。そうしなければ、ここにいるみんなは納得しない」

キャットは眉《まゆ》をひそめる。

「どう変える？」

「妖精商人から妖精を借り受ける期間、彼らの羽も一緒に引き渡《わた》してもらうの。そしてその期間、みんなに羽を返す」

それは最初からわかっていた答えだ。だが全員が、不可能だと避《さ》けた答えだ。

「アン。それは……」

キースが絶句し、妖精たちはざわついて顔を見合わせた。

「でもそうしなければ、どんなに気持ちは違うんだって言っても、妖精から見れば同じだもの。わたしだって、そんなふうに扱われたら……銀砂糖になんか触《さわ》りたくない」

「それは、そうだけど」

戸惑《とまど》うキースの隣《となり》で、キャットが長い指でしきりに顎《あご》を撫《な》でている。

「確かにな。俺だってやりたかねぇな、そんな仕事は。だが羽を返しちまったら、仕事どころじゃねぇ。逃げだしておしまいじゃねぇか？」

「そうですよね、わたしでも逃げると思います。みんなも、逃げるよね」

アンは苦笑《くしょう》して、妖精たちに向かって訊《き》いた。妖精たちはばつが悪そうに視線をそらしたが、アンは頷《うなず》いた。

「当然だもの。逃げないほうが、不思議だと思う。でも逃げないで欲しいの」

一歩妖精たちの方へ踏《ふ》みだし、アンは妖精たちを見回す。

強烈《きょうれつ》な色彩《しきさい》のアレルは、警戒《けいかい》するようにアンの言葉と動きを目で追っている。彼らはひどい目にあってきたからこそ、用心深くて疑《うたぐ》り深い。野生の獣《けもの》のように、自らの身を守るためにけして不用意な行動には出ない。

しかし彼らがそうだからといって、アンたちも妖精を警戒し安全策ばかりを選んでいては双《そう》方《ほう》歩み寄ることはできない。

どちらかが行動を起こさなければ、変わらないものがある。

「もし羽を返すことができたら、逃げ出さないで欲しいの。きちんと七日間、銀砂糖と向き合って欲しい。そして素質があるとわかったら、ここに残って欲しい。素質がない人は、もう一度市場に帰ることになる。つらいと思う……。でも、そうしてルールを守ってくれたら、妖精市場にいる他《ほか》の妖精たちにも、ここに来て銀砂糖に触《ふ》れるチャンスが来る。それで羽を自分の手に取り戻《もど》して、砂糖菓子《がし》職人として修業《しゅぎょう》する道が開ける。砂糖菓子職人として生きていける」

妖精たちは互《たが》いに目配せして、どう答えるべきか迷っているようだった。

アンは今一度言った。

「逃げ出さないと約束してくれるなら、わたしは銀砂糖子爵《ししゃく》に相談をして、みんなに七日間、羽を返してもらえるように交渉《こうしょう》してみる」

「……よし。わかった」

答えたのは、アレルだった。

「逃げ出さないと約束する。だから、俺たちに羽を返せ」

朱《しゅ》の瞳《ひとみ》が、ひたとアンを捕《と》らえている。その目を信用してもいいのか否《いな》か、アンにはわからなかった。けれど先にこちらが信じなければ、相手もこちらを信じきれないはずだ。

「約束してくれる？　わたしたちは、あなたたちを信じていい？」

「約束は守る。信じてくれ」

アンはキャットとキースにふり返った。彼らはどう考えるだろうか。

「約束か。信じるしかねぇか」

キャットが呟《つぶや》くと、キースも頷く。

「それしかないね、おそらく」

危険を承知で、一歩。それが前進するための賭《か》け金だ。


朝食後、シャルは城の前庭に出た。庭を囲むように立つ雑木の木陰《こかげ》に座り、足を投げ出して風の音を聞いていた。頭上の木の葉が、さわさわと囁《ささや》くように音を立てるのが気持ちを落ちつかせる。視線を向けたブーツの先には、小さな青い草花が咲《さ》いている。

ホリーリーフ城の庭は、整備されていない。砂糖菓子工房の庭に美観は必要ないということだろう。広い庭には、丈《たけ》の短い草が全面にはびこって風に揺《ゆ》れている。初夏の日射《ひざ》しを受けて、白や青の小さな草花が咲いている様子は、それはそれで草原の風情《ふぜい》があっていいものだ。

――ラファルもエリルも、気配すらない。

彼らが逃走《とうそう》してから、シャルはできるだけアンの側を離れないようにしていた。アンがシャルの身近な存在である以上、彼らが再び、アンを利用して何事かをたくらまないとも限らない。しかし彼らは周囲に現れるどころか、彼らしき妖精を目撃《もくげき》したという噂《うわさ》もない。

――この穏やかな時間が、続けばいい。

そう願わずにはおられなかった。

アンは仕事に夢中になっていて、それを見守っているだけでほっとする。キースと彼女の未来を望みながらも、こうやってアンが誰《だれ》のものでもないあやふやな時間を、少しでも長く続けてくれればいいと思うのだ。

玄関《げんかん》ポーチの辺りに、小さなものが動いているのに気がついて、シャルはそちらに目を向けた。

――ミスリル・リッド・ポッド？

ゆっくりとポーチの階段を下りているのは、ミスリル・リッド・ポッドだ。

朝食の後、ミスリルは作業場に行かなかったのだろう。

一昨日《おととい》、自分が作った砂糖菓子の衝撃《しょうげき》で、自分には銀砂糖妖精の才能がないと身に染《し》みたらしい。しかし「俺様は銀砂糖師の補佐《ほさ》役としては、天才的だ」と、全員がうるさがるほど毎日口にしているので、別に落ちこんでいるのではなさそうだ。

だが遠目で見る限り、ミスリルは元気がない。いつも跳《は》ねるように歩いて鬱陶《うっとう》しいほどなのに、大儀《たいぎ》そうに足を運んでいる。背にある羽も濡《ぬ》れたカーテンのようにくしょりとたれさがっていた。

ミスリルはポーチの階段中程《なかほど》に座ると、深いため息をついてちぎれ雲がゆったり流れる空を見あげる。その目はぼんやりとして、まるで魂《たましい》がどこかにさまよい出ているかのようだ。

――おかしい。

考え事をしている様子とはあきらかに違《ちが》う。体の中に燃える力が、本人の意志とは関係なくいきなり熾火《おきび》になり、心も体も動かなくなり、空洞《くうどう》になるような感じだ。

立ちあがると、早足に庭を横切ってポーチに向かった。近づくにつれて、シャルは胸の奥がざわつく。

シャルが近づいても、ミスリルの視線は虚空《こくう》に固定されたまま、銀の瞳は初夏の青空だけを映していた。

「ミスリル・リッド・ポッド」

呼ぶが、こちらに気がついていないようだ。動かない。

シャルはミスリルの正面に跪《ひざまず》き、すこし声を強くした。

「ミスリル・リッド・ポッド！」

ぶるりと体を震《ふる》わせ、ミスリルがはっとシャルを見る。

「あ……シャル・フェン・シャルか？」

「おまえはおかしい」

ミスリルは目をまん丸にした。

「はぁ？　なに言ってる」

「今の様子はなんだ？」

「ばれたのか……実は、俺様……。悩《なや》み抜《ぬ》いていたんだ。訊いていいか？　シャル・フェン・シャル」

「なにを？」

「おまえ、女の子の石けんの香《かお》りにくらくらする派か？　香水《こうすい》にくらくらする派か？」

思わず、ミスリルの襟首《えりくび》を掴《つか》んでいた。

「人が心配してやっているのに、真面目《まじめ》に答えろ。玄関扉《げんかんとびら》に逆さに吊《つる》してノッカーにするぞ」

「それが心配している奴《やつ》の態度か!?」

「シャル？　ねぇ、シャル！　どこにいるの？」

城館の中から、アンが呼ぶ声がした。シャルはじたばた暴れるミスリルを摑んだまま答えた。

「ポーチだ」

すると、こちらに近づいてくる足音がする。玄関扉が開き、アンが姿を見せた。なぜか眉根《まゆね》を寄せて厳しい顔をしている。が、二人の様子を見ると困ったような顔をする。

「喧嘩《けんか》？　ごめん邪魔《じゃま》した？」

「喧嘩なんだから、邪魔して止めろ！」

ミスリルが暴れるので、いい加減うんざりしてシャルは手を離《はな》した。ぎゃっとミスリルが石の床《ゆか》に落ちると、アンは慌《あわ》てて彼を拾い上げた。

「大丈夫《だいじょうぶ》？」

「おまえが来なきゃ、シャル・フェン・シャルに吊されるところだった。けどアン。どうした？　なんか、怒《おこ》ってたのか？」

アンはシャルの前に膝《ひざ》をついた。再びむすっとした表情になる。

「うん、怒ってる」

「誰にだよ」

「自分に。わたしは二度も同じ失敗をした」

そう答えると、いきなり深く頭をさげた。

「シャル、お願い。急に悪いんだけど、ルイストンへ行きたいの。一緒《いっしょ》に行ってくれる？」

「かまわんが。なにをしに？」

「ヒューのところへ行くの。妖精《ようせい》たちの扱《あつか》いを変えたい。ノアが来てくれただけじゃ、妖精のみんなは納得《なっとく》してくれない。わたしたち人間が、自由を餌《えさ》にして砂糖菓子《がし》の仕事を仕込もうとしているだけだって言われた。わたしも、そうだと思う。だから彼らが納得して仕事ができるように、彼らに羽を返したいの」

アンは顔をあげ、強い決意を秘《ひ》めた表情で告げた。

——こいつなら、言い出しかねないとは思っていたが。

一昨日の夜、アレルが見せた自由への渇望《かつぼう》を知っているシャルにはわかっていた。妖精たちは自分たちの羽を取り戻《もど》すまでは、けして人間と対等になれないということを。けれどアンたちの置かれた立場ではそれができないからこそ、次善の策としてノアを呼んだのだ。

シャルはため息をつく。

「羽を返すことができないから、ノアを呼んだ。違うのか？」

「それじゃだめなの。よくわかった」

「羽を取り戻した妖精たちを、ここにつなぎとめておく事はできないぞ」

アンは首を振《ふ》った。

「約束したの。妖精たちはみんな、羽を返しても逃《に》げ出さないと約束してくれた」

「妖精も嘘《うそ》をつく」

人間に使役《しえき》されて自由を求め続けている彼らに羽を返せば、どうなるか。仕事をするどころではなく、一目散に逃げ出す。妖精のシャルには、よくわかる。

冷徹《れいてつ》に事実を突《つ》きつけたつもりだったが、アンは怯《ひる》まなかった。

「それも、わかってる。でもわたしは、やってみる。ヒューにお願いに行く。キースもキャットも、賛成してくれたから」

分の悪い賭《か》けをしようとしていると、自分でもわかっているのだろう。アンの目には決意がある。

「わかった」

シャルは立ちあがった。

覚悟《かくご》があってのことならば、なにを言ったところで彼らはやるだろう。それが彼らの仕事なのだから。

三章　七日間の約束

銀砂糖子爵《ししゃく》ヒュー・マーキュリーは、ルイストンにある銀砂糖子爵の別邸《べってい》にいた。彼はアンたちの仕事を国王エドモンド二世に報告するため、ルイストンに滞在《たいざい》していたのだ。

ルイストン東の市場近くにある三階建ての屋敷《やしき》に、アンとキース、キャットが到着《とうちゃく》したのはお昼前だった。都合がいいことに、ヒューは国王への謁見《えっけん》を終えて屋敷に帰っていたので、三人はすぐに中に通された。

護衛として同行したシャルと、なんとなくシャルにくっついてきたミスリルも、屋敷に入れてもらえた。

客間とおぼしき広々した部屋で、五人は待たされた。窓は開け放たれ、爽《さわ》やかな緑の香りを部屋の中に運んでいる。室内には外国からの輸入品らしい、椅子《いす》とテーブルが配置されていた。ごてごてした飾《かざ》りのないすっきりした家具や装飾《そうしょく》は、洗練されている。

しばらく待っていると、ヒューが茶の上衣《うわぎ》姿で現れた。入ってくるなり、ヒューはにやにや笑いながら奥の椅子に腰掛《こしか》けた。

「雁首揃《がんくびそろ》えて、どうした。降参宣言でもしにきたか？　悪いが、降参は受け付けないぞ」

「てめぇは、……本当にいちいち頭に来るな」

キャットが呻《うめ》くと、ヒューは手首のカフスを直しながら平然と答える。

「当然だ。嫌《いや》みを言ってるんだからな」

「顔を合わせた途端《とたん》に嫌みなんざ、どういう了見《りょうけん》だ。激励《げきれい》のひとつもできねぇのかよ」

「おまえたちがそんな景気の悪い顔をしてなけりゃ、頭を撫《な》でて褒《ほ》めてやったさ。なにがあった」

さすがにヒューは察しがいい。キースが降参とばかりに、彼の前に進み出た。

「妖精市場で集めた妖精たち十五人。彼らが、まったく作業に対してやる気を見せてくれないんです。今のままでは、一人も銀砂糖妖精候補として選ぶことはできません」

「それは資質的に無理という問題か？」

「いや。単純に、意欲《いよく》の問題だ」

キャットが答える。するとヒューは目を細め、冷徹な表情で微笑《ほほえ》む。

「意欲がないなら、市場に帰すだけだ。次の十五人を連れて来ればいい」

「それじゃたぶん、何人連れてきても、一人も資質ある者として選べないと思うの……」

それは自分たちの見こみの甘さを露呈《ろてい》する言葉だったが、伝えないわけにはいかなかった。

苦いものを噛《か》んだようなアンの顔を見て、ヒューは確認《かくにん》する。

「今回の十五人の妖精が特別やる気がないというわけではなく、妖精全体の意欲がないと？」

「おそらくな。俺が妖精市場で会った連中は、今回の十五人と同じ雰囲気《ふんいき》だったからな」

キャットがぶすっとして答える。

「十五人の彼らに対して、手は打ったか？」

「ええ。実際に自由を取り戻して職人として修業《しゅぎょう》しているノアをこちらに呼び寄せて、彼らが、将来的な展望を目《ま》の当たりにできるようにと試みました。ですが、結果は思わしくありません」

キースの言葉に、ヒューは椅子に背を預けて指を組む。

「あともうひとつの方法は試《ため》したのか？」

「もうひとつ？」

ヒューの視線は、首を傾《かし》げるキースからアンにうつった。

「アン。おまえさんが持っている武器は使ったか？」

「武器……」

一瞬《いっしゅん》、何のことを言っているのかわからなかったが、すぐにぎょっとなる。

——まさか、シャル!?

妖精王たる彼の立場。彼の素性《すじょう》を妖精たちに告げれば、妖精たちは驚《おどろ》くだろう。そしてシャルの持つ雰囲気から、彼が特別な存在だとわかるはずだ。その彼が妖精たちに命じれば、妖精たちは従うかもしれない。

だがシャルの立場は、人間にも妖精にも知らせないとシャル自身がエドモンド二世と誓約《せいやく》した。その場にいたヒューが、それを知らないわけはない。だが彼はあえて、それを目標達成のために使えと言っているのだろう。

「それは、してはいけないことだと……」

アンが口ごもると、ヒューはふっと笑った。

「この際だ。国王陛下に限定的な許可を取ってもかまわないが」

「名案とはいえない」

出入り口近くの壁《かべ》にもたれて腕組《うでぐ》みしていたシャルが、目を閉じたまま静かに口を開く。

「自由を奪《うば》われた妖精が、力ある同胞《どうほう》に一番に望むのは、自分たちを自由にして欲しいということだ。その一番の願いを無視して命令だけを下しても、妖精たちは動きはしない。当然だろう。彼らの願いを無視して要求だけする者を、誰《だれ》も認めない」

「なんの話ですか？」

キースは、少し不機嫌《ふきげん》そうな顔をヒューに向ける。目の前で秘密めいたやりとりをされるのは、あまり気持ちのいいものではないのだろう。しかしヒューは、軽く手を振った。

「いずれ教えてやる。だが、さて。おまえらの話を聞いてたら、これは間違《まちが》いなく降参宣言じゃないのか？」

「降参はしない。そのために三人で相談して、ヒューにお願いに来たの。ヒュー、お願い。妖精商人と交渉《こうしょう》して、妖精を借り受ける時は、彼らの羽も一緒《いっしょ》に借り受けて欲しいの。借り受けた羽をその七日間だけ彼らに返して、仕事をしてもらう。七日間の自由を約束するの。彼らに」

「羽を返す？」

信じられないと言いたげにヒューはおうむ返しにすると、次には額を押さえて笑い出した。

「なにを言い出すかと思えば！　おまえら、正気か!?　七日間の自由を与《あた》えられた妖精《ようせい》が、喜んで銀砂糖を触《さわ》るとでも？　そしてその後に、資質のない者は自分の羽を人間に返して、再びおとなしく妖精市場に戻《もど》ると？　馬鹿《ばか》なことを。羽を手に入れたら、彼らは一目散《いちもくさん》に逃げ出すさ。俺も妖精だったら、そうするぞ」

「逃げないと約束してくれたわ。そして七日経《た》ったら、資質のない人たちは市場に戻るって」

「約束ね。それを信じるのかアン」

「全員が約束を守ってくれるとは、断言できない。でも、約束してくれたから、信じたい」

ヒューは笑いの余韻《よいん》を目尻《めじり》に残したまま立ちあがると、アンの前に立った。その目は愚《おろ》か者を哀《あわ》れむように冷淡《れいたん》だった。

「約束したから信じたいというのは美しい話だ。だが現実はそうもいかない。わかっているはずだ。これは失敗できない仕事だ。国の資金を使い、国王陛下への報告義務もある。むざむざ妖精を逃がし、不必要な大金が動けばこの仕事を継続《けいぞく》するべきか否《いな》かを問われかねない」

もっともな言葉だ。

アン自身も約束を信じたいと断言しながら、その約束が、完璧《かんぺき》に守られるとは思っていない。

だが信じたいから、あえて、信じると断言しているのだ。必死の祈《いの》りと同じなのだ。

「わかってる。でも妖精か人間、どちらかがリスクを背負わなければ、関係が改善しないの。妖精たちは羽を握《にぎ》られていて、立場が弱くて、彼らが負えるリスクはない。だったら立場の強い人間の方がリスクを負うべきよ。彼らが逃げ出したら、わたしが責任を取る。言い出しっぺはわたしだもの」

「どう責任を取る？　おまえの持ち金程度じゃ、まかなえない額だ。首でも差し出すか」

「はい」

頷《うなず》いたアンに、からかい半分に訊《き》いたヒュー本人がぎょっとしたような顔になった。キースとキャット、シャルも、なにを言い出したのかというようにアンを見る。

「今回の十五人の妖精に関して、羽を返すと決断して実行したのは、わたしの独断としてください。責任を問われれば、わたしが責任を負う形で、わたしを突《つ》き出して」

「アン！　君にそんなことさせるくらいなら、僕は妖精たちに羽を返すのは反対だ！」

たまりかねたようにキースが声をあげ、アンの肩《かた》を摑《つか》む。アンは苦笑《くしょう》した。

「それって、キース。妖精たちが絶対に約束を守ってくれないと、思ってるよね」

「それは当然可能性としてあるからだよ。君が罪人になる可能性があるなら、僕は反対だ」

「てめぇが罪をかぶるくらいなら、俺がかぶる。ガキにそんな真似《まね》させられるか」

キャットも苦い表情で言うので、アンは頭を振《ふ》った。

「三人のうちで、わたしが一番、今の仕事ではできることが少ないもの。だからわたしが妥当《だとう》です」

そもそも、アンがこの仕事に抜擢《ばってき》されたのは、キャットやキースのように、事務的な能力や、頭の切れのよさを買われてのことではないのだ。

たまたま銀砂糖妖精の最後の弟子《でし》であり、なおかつ、シャルと信頼《しんらい》関係があるから選ばれたのだ。要するにアンはこの仕事で、妖精と人間の間に立つことをこそ、期待されているのだ。

「もちろん、ただ羽を返して『約束を守ってね』って、お願いするだけじゃない。妖精たちの様子は、きちんと見守ります。わたしじゃ行き届かないから、たぶんシャルにも協力してもらわなくちゃいけないけど……」

ちらりとシャルを見やると、彼は無言で頷く。彼の肩の上でミスリルも、任せろというようにウインクをよこす。

――妖精王たるシャルに、なるべくリスクを負わせないような協力をしてもらうこと。

それがアンがこの仕事でできる唯一《ゆいいつ》のことだ。

「妖精たちが逃げるそぶりを見せたら、わたしが説得する。それでも逃げ出すようなら、不本意だけど、シャルに協力してもらって足止めしてもらう。それでまたホリーリーフ城に帰って、作業してもらう。また逃げだそうとしたら、また説得する」

「それなら。羽を返すのはいいとしても、夜間だけでも彼らを外へ出さないために部屋に施錠《せじょう》するような手段を講じるべきだよ」

キースの言葉に、シャルがふんと鼻を鳴らした。

「羽を返して監禁《かんきん》か？　それならいっそ、羽など返すな。羽を返す行為《こうい》そのものが、偽善《ぎぜん》くさくなるだけだ」

胸をつかれたように、キースは口をつぐんだ。恥《は》ずかしそうに、頷く。

「そうか。僕が悪いね、今のは……ごめんね。アンが罪をかぶるというから、つい」

「責めているのじゃない」

さらりと返すシャルに、遺恨《いこん》は感じられない。ただ彼は、人間としての思考しかできないキースに事実を告げただけなのだろう。

アンは再びヒューに向き直った。

「それでも結局、何人か逃げ出してしまったら、わたしが持ってる千クレスで、可能な限りの支払《しはら》いをする。足りない場合は、わたしが勝手なことをしたからだと、国王陛下に報告して、罰《ばっ》するように突き出して」

挑《いど》むようなアンの目に、ヒューは困ったような顔をする。小さな子供がったないなりに正論を吐《は》き、大人に喧嘩《けんか》を売っているのを眺《なが》め、どうしたものかと困惑《こんわく》するような雰囲気《ふんいき》だ。

壁にもたれていたシャルが身を起こし、ゆっくりとアンのとなりにやって来た。

「安心しろ銀砂糖子爵《ししゃく》。俺がいる限り、一人も逃がしはしない。こいつは罪人にはしない。ただ……そんな状況の妖精たちが砂糖菓子の作業に真剣に向き合うかどうかは、こいつらのやりかた次第《しだい》だ」

「シャル」

隣《となり》を見あげると、シャルの横顔はいつもの通り端麗《たんれい》で、そしてどこかに威厳《いげん》が感じられる。

彼の言葉が、なによりも頼《たの》もしく嬉《うれ》しかった。

ヒューは厳しい表情で口を開く。

「それで、おまえが罪人になるか。もしくは罪人にならなくとも、妖精たちが逃げ出しては捕《つか》まえるのを繰《く》り返して、作業どころではなくなるか。どちらになっても、この計画がうまく進まない。そうなれば、どうする」

「そんなもん、次に市場から来る十五人の妖精には、羽を返さねぇよ。それで奴《やつ》らにやる気がなきゃ、次の手を考える。が……はっきり言って次の手なんかねぇ」

投げ捨てるように言ったキャットに、ヒューが険《けん》のある目を向ける。

「降参か？」

「そうだ。降参だ。悪《わ》りぃかよ。そもそもそんなに簡単に妖精と信頼関係が築けるようなら、妖精市場なんぞこの王国にないだろうが。でも今、俺たちは、降参の前にひとつ賭《か》けようって言ってんだ。最初の十五人の妖精に羽を返すことを試《ため》そうと決めたんだ。やらなきゃこの計画の意味がなくなる。このままじゃ銀砂糖妖精は生まれねぇ」

責めるようなヒューに、キャットが言葉を投げつける。するとさらにキースが、続ける。

「今、それを試してみなければ、この仕事そのものが無意味になるんです。もちろんアンを罪人にするつもりはないですけど、試したいんです」

彼らの言葉に、ヒューはため息をつく。

「三人の総意というわけか」

「なにかあれば、責任はわたしが……」

アンが重ねて言いかけると、ヒューがピシリと遮《さえぎ》った。

「アン。これは、おまえたちが責任を取れるような問題じゃない。責任を取るとしたら、俺だ。おまえを突き出すなら、おまえを監督《かんとく》する立場にある俺の方が罪は重いからな」

言われて、はっとする。

——そうか。これはヒューが、国王陛下から全権を任されている仕事。ということは、責任はすべてヒューにある。

アンは今更《いまさら》、蒼白《そうはく》になった。ヒューにそれほどの責任を負えと、自分たちは言っているのだ。

ヒューは再び静かに椅子《いす》に座って足を組んだ。するとその目の前にキャットが立ち、彼を見おろしながら断じた。

「てめぇしか責任取れねぇなら、てめぇが責任を取れ。銀砂糖子爵」

「えっ!?　キャット!?　それは!」

アンは焦《あせ》るが、ヒューは苦笑した。

「簡単に言ってくれるじゃないか。キャット」

「俺たちを選んだのはてめぇだ」

その一言に、アンは慄然《りつぜん》とする。

——選んだ責任。選ばれた責任。

一蓮托生《いちれんたくしょう》。どちらが責任をとる、という問題ではないのだ。でもだからといって、今、妖精《ようせい》たちに羽を返すことを見送れば、銀砂糖妖精が生まれる可能性はどれほど低くなるか。

ヒューは沈黙《ちんもく》した。しばらくすると彼は、両手を膝《ひざ》の上に組み顎《あご》をのせ、立っている三人を見あげる。

「キャットの言うとおり。おまえたちに仕事を任せたのは、俺だ。責任は俺が取る。おまえたち三人が必要だというなら、……リスクは俺が背負ってやる。妖精商人と交渉《こうしょう》してやる」

望んでいたはずの答えに、アンは怖《こわ》くなる。キースもキャットも、すこしおののくような気配を見せる。ヒューは淡々《たんたん》と続ける。

「忘れるな。おまえたちがへまをしたら、この仕事の継続《けいぞく》に支障が出る」

気負いなく告げているが、彼の言葉は重大な決断だ。

——わたしたちがへまをしたら、仕事が頓挫《とんざ》する。責任はヒューが取る……。

自分の失敗で自分の責任を問われるよりも、自分の失敗で他人を追い込む結果になる方が重

圧は大きい。

「俺が動く」

シャルが、言った。その短い一言にヒューはすこしだけほっとしたように頷き返す。

「頼んだぞ」

「誰《だれ》も罪人にはしない」

ヒューは呆《あき》れたような顔をしながら、椅子に深く身を沈《しず》めた。

「やれやれ。またストーと交渉か。あいつと話しあいをするのは、神経がすり減る」

「いつ結果が出る？」

訊《き》いたキャットに、ヒューはちょっと考えてから返事した。

「そうだな。あいつは今ルイストンにいるから、今日中に連絡《れんらく》が取れる。早ければ、明日には結果を知らせられる」

「へまするんじゃねぇぞ」

「その言葉、そっくり返してやるよ」

ヒューは立ちあがると、犬の子を追い散らすように手を振《ふ》った。

「おまえらは帰れ。俺はさっそく動く」

アンたちはヒューに頭をさげて、出入り口に向かった。シャルも同様に歩き出そうとしたが、ふとなにか思い出したようにヒューに向き直った。

「銀砂糖子爵。エリルとラファルの行方《ゆくえ》は摑《つか》めたか？　なにか情報は？」
その問いに、アンの方がどきりとする。
──やっぱり、常に気にしてるんだシャル。兄弟石だものね。
妖精たちのことにかまけて、アンはエリルとラファルの脅威《きょうい》にはすっかり無頓着《むとんちゃく》になってい
た。けれどこうやってシャルが常に行動を共にしているのは、彼らの存在を警戒《けいかい》してのことだ。
「各州に対して国王陛下の名前で警戒が呼びかけられているが、たいした情報は入っていない。
ただ、ギルム州辺りで似た風体の妖精が妖精狩人《かりゅうど》に目撃《もくげき》されている」
「ギルム州？」
シャルが眉《まゆ》をひそめる。
そこはアンたちがレジナルド・ストーとの交渉をするために赴《おもむ》いた、ノーザンブローを擁《よう》す
る州だ。ハイランド王国の中心部に位置し広大な面積を有するが、ほとんどが荒《あ》れ地。しかも
ビルセス山脈という、王国一の長大さを誇《ほこ》る山脈を抱《かか》えている。
ギルム州はルイストンとかなりの距離《きょり》があるので、そこで彼らが目撃されたというのは、ア
ンにとってはひとまず安心材料だ。
──でもなんでギルム州に？
ギルム州はその広大さゆえに人口密度が少ない。逃《に》げるにはもってこいの地域なのかもしれ
ない。しかしそんな理由だけで、彼らがその場所を目指すのだろうか。

エリルはともかく、様々な思いを抱えているラファルが、ただ人間の手から逃げ続けているだけなのか。それがわからない。

――なにかあるのかな？　ギルム州に……。ギルム州。

わずかな引っかかりを感じる。けれどギルム州のなにが引っかかるのか、アンにはわからなかった。

彼らに関しては、アンにもわからない事が多すぎる。

ラファルは城壁《じょうへき》の上から転落し、最高の砂糖菓子を手に入れたとしても助かる見こみがない程の状態だったはずだ。だがその彼が命をつなぎとめ、そして目覚めた。あの荒野《こうや》で死に瀕《ひん》した彼がなぜ、助かったのか。

――誰も知らない、なにかの力がラファルに作用した？

そう思うと、そのなにかの力がわからないだけに不安だった。

その後のヒューの行動は早かった。

彼は言葉通りその日のうちにレジナルドに連絡をつけ、妖精たちを羽とともに借り受けるという約束をとりつけた。レジナルドは渋《しぶ》ったらしいが、ヒューが全面的に責任を取るという言葉にとうとう頷《うなず》いたらしい。ただしやはり、妖精商人は妖精商人だった。

「妖精どもが逃げ出したら、正式な値段で逃げた人数分の代金を支払《しはら》ってもらう」

という条件だけは譲《ゆず》らなかったらしい。ヒューはそれを呑《の》んだのだ。

その知らせが届いた翌日の早朝。妖精市場からキャットが、妖精たちの羽を納めた袋《ふくろ》を借り受けてきた。

小ホールには窓から朝日が射《さ》しこみ、床《ゆか》に、明るい縞模様《しまもよう》を作っていた。

並べられた長テーブルの上には、妖精たちの羽が納められた革袋《かわぶくろ》が一つ一つ、丁寧《ていねい》に置かれた。人数分、十五個ある。

それぞれが妖精たちの命だと思うとその革袋を目の前にして、アンは身が引き締《し》まる思いだった。そしてそれを妖精たちに返す行為《こうい》の重大さと責任もひしひしと感じていた。

妖精たちが約束を守ってくれるか、否《いな》か。その不安が一番大きい。

シャルがいてくれる限り、彼らを逃がすようなことにはならないだろう。だがそんなことには、絶対になって欲しくないのだ。

アンはちらりと、シャルの方を見やった。

シャルは長テーブルの端《はし》に腰掛《こしか》けて頰杖《ほおづえ》をつき、朝食の準備が整うのを待っている。背に流れる羽は落ち着いた薄《うす》い青色で、先端《せんたん》へゆくほど薄いグラデーションになっている。

ミスリルはどこか浮《う》き浮きした様子で、しきりにシャルに話しかけていたが、シャルは鬱陶《うっとう》しそうに眉を動かすだけだ。

階下の台所から朝食用のスープの香《かお》りが漂《ただよ》ってくる頃《ころ》に、聖ルイストンベル教会の鐘《かね》の音が響《ひび》いた。それを合図にして、妖精たちが小ホールにぞろぞろとやって来た。

彼らはいつも通りの静かさと従順さで、長テーブルの席に着く。

ノアも彼らの中に混じって、ちょんと小さくなって座る。相変わらず居心地《いごこち》はよくなさそうだったが、それでも、初日に少しばかり話をしていたエメレが隣《となり》に座り、時折話しかけていた。するとノアは笑顔《えがお》を見せる。

妖精たちが全員席に着く。

アンが革袋から視線をあげると、キースとキャットと目が合った。互《たが》いに、誰が切り出すか目線で探《さぐ》り合うと、自然とキャットに視線が集まる。彼はすこし顔をしかめたが、仕方ないというようにすっくと背筋を伸《の》ばした。そして集まった妖精たちに向かって声を張った。

「朝食前に、受け取ってほしいものがある」

妖精たちがざわつき、彼らの視線が長テーブルに置かれた革袋に注がれる。するとさらに、期待のこもった明るいざわめきが大きくなった。

「羽を返す。羽を手にすりゃ使役《しえき》される立場じゃねぇ、ただの職人見習いだ。職人見習いとして今日から、仕切り直しで七日間作業するんだ。そして七日間の作業の後は、資質のない者は羽を返して、妖精市場に戻《もど》ってくれ。それが約束だ」

キャットの最後の台詞《せりふ》を聞くと、胸が痛む。

一度取り戻した羽を再び人間に渡《わた》せというのは、かなり酷《こく》なことだ。だがそうしなければ、彼らの次に控《ひか》えている妖精《ようせい》たちにチャンスの順番が回ってこないのだ。

選ばれたり、選ばれなかったり。それだけで自由と隷属《れいぞく》という、極端《きょくたん》な道が分かれる。それを不公平だ、可哀相《かわいそう》だと言って、全員のチャンスを失うことは未来に繫《つな》がらない。この不公平で理不尽《りふじん》な分かれ道を作ってしまう自分たちは罪人だろう。だから選ばれなかった妖精たちの立場を変えられるように、少しずつでも世の中の仕組みを変えていかなくてはならない。

――それが唯一《ゆいいつ》できる、罪の償《つぐな》い。

アンは唇《くちびる》を嚙《か》んだ。

――妖精たちが職人として、仕事をして独り立ちすれば人間と同じ土俵に立てる。そうすれば、妖精は使役するものだという慣習に、ひとつ、特例を作れる。

その特例が特例でなくなるほど増えていけば、妖精たちは使役される者ではなく、仕事をして人の中で生きる者として認識《にんしき》されはじめるはずだ。

だがそれは、簡単なことではない。シャルもエドモンド二世に告げていた。

五百年かけて作り上げられた社会の根幹なら、五百年以上かけなければ、それは変わらないだろう、と。

アンたちは五百年先を見据《みす》えて、踏《ふ》み出すことを求められている。

「約束する」

そう言って立ちあがったのは、アレルだった。朱色《しゅいろ》の瞳《ひとみ》に、飢《う》えた焦燥感《しょうそうかん》がある。

「約束する。返してくれ、羽を」

すると妖精たちの口から次々と、約束するという言葉が出てくる。妖精たちの期待と不安と喜びが、その場に膨《ふく》れあがっている。

アンは頷いた。

「返します。約束を信じます」

それだけ言うと、アンは微笑《ほほえ》んだ。キースがすかさず、指示する。

「じゃあ、一番近いテーブルの端《はし》の人から順番に、こちらに来てください。袋の中身を確認して、自分の羽を持って行ってください」

跳《は》ねるように、最初の妖精が腰《こし》を上げた。

「はい。どうぞ」

アンが羽を手渡《てわた》すと、妖精は目を輝《かがや》かせ、羽の入った袋を胸元《むなもと》に抱《だ》きしめた。

シャルは長テーブルの端から、頬杖をついたままでその様子をじっと見つめていた。なにを考えているのかわからない無表情だったが、目の前に座るミスリルが、何事かをシャルに話しかけると、シャルは少しだけ口元をほころばせた。

その微笑みを見て、アンは嬉《うれ》しかった。妖精たちの明るい表情も嬉しかった。

その日の妖精たちの作業は、どこか違《ちが》った。彼らの表情は明るく、時折、笑い声さえ上がっていた。抑《おさ》えきれない喜びが、彼らの気持ちを前向きにさせている。

その様子に、アンはほっとした。

──わたしたちの選択《せんたく》は、間違《まちが》っていない。

だが、そうだからといって彼らが逃《に》げ出さないとは限らない。

作業の間、休憩《きゅうけい》時間、夕食の間と、アンは彼らの動きに注目していたが、特に変わった様子は見られなかった。

夕食後もアンは、妖精たちの部屋から玄関《げんかん》へ向かうために必ず通る小ホールに座っていた。直接に監視《かんし》はしたくなかったが、逃げ出すそぶりはいち早く察知して、声をかけるべきだ。

なにもせず座っていると、昼間の疲《つか》れのためにぼんやりしてくる。揺《ゆ》れる蠟燭《ろうそく》の炎《ほのお》をとろりと見つめていると、声が聞こえた。

「一晩、そうやっているつもりか？」

右翼《うよく》二階の廊下《ろうか》から、シャルがやってきた。アンは目をこすり、シャルに向き直った。

「うん。まあ……」

「俺が見守っていると言ったつもりだが？」

「それはそうだけど。シャルだけに負担をかけるわけにはいかないもの」

「砂糖菓子に関する作業はおまえたちの仕事だ。俺にはできない。だが彼らを見守る仕事は、俺ができる。俺の仕事だ。おまえたちはおまえたちの仕事に支障が出ないように寝《ね》ろ」

「でも」

「これは負担じゃない。役割分担だ」

そう言われると、こうやって不安がって妖精たちの周囲をうろついている自分が、ひどく幼い気がする。

「そっか……」

「湯でも浴びろ」

そう言ってシャルは通り過ぎざまにアンの髪《かみ》の先をさらりと触《さわ》って、階段を下りていった。

そして玄関ホールから外へ出て行こうとした。

「え、シャル。何処《どこ》へ行くの？」

扉《とびら》を開いたシャルはそこで立ち止まり、振《ふ》り返った。

「俺はそんなところに張りついているつもりはない。俺のやり方でやる。心配するな。奴《やつ》らが逃げ出したら、おまえに説得を頼《たの》む。逃がしはしない」

それだけ言うと、出て行った。


夕食後キースは、アンの姿が部屋にないことに気がついた。

どこへ行ったのかとミスリルに訊《き》くと、浴室に行ったらしいという。

妖精たちは毎日平気な顔で浴室にある井戸水《いどみず》から水を汲《く》みあげて浴び、体を清潔に保っている。しかし人間にとってはまだ、水を浴びたいほど暑い夜ではない。井戸《いど》から汲みあげた水を浴室の竈《かまど》で温めてから使うので、時間がかかる。そのために浴室を使うのは、大概《たいがい》妖精たちが水を浴び終わってからになる。

キャットはベンジャミンとミスリルを相手に、ベッドの上でカードゲームを始めていた。

しかしキースは、キャットのように、どっしりと構えていられなかった。妖精たちの様子が気になる。

キースは妖精たちの部屋を覗《のぞ》いて、彼らの様子を確認した。彼らは部屋に帰り、思い思いにくつろいでいる。逃げ出す気配がないので、ひとまず安堵《あんど》する。

妖精たちは逃げ出さないと約束してくれたが、不安はつきまとう。もし彼らが逃げ出してしまえば、銀砂糖子爵《ししゃく》に多大な迷惑《めいわく》をかける以上に、計画遂行《すいこう》の是非《ぜひ》を問われかねない。

──何かがあった時は、シャルが動くと言ってくれたけれど……。そういえば、夕食後からシャルの姿も見えないな。

夕食の席には確かにいたはずだが、その後、彼の姿を見た覚えがない。おそらく彼はそれとなく目立たないようにしながら、妖精たちを見守ってくれているはずだ。

妖精たちの部屋の並びを抜《ぬ》け、小ホールに踏みこむ。するとゆるくカーブした階段を、アンがすたすたとのぼってきたのと出くわした。

「あ、キース！　ちょうどよかった。浴室でお湯を沸《わ》かしたんだけど、たくさん余ったから。みんなも体を洗えば？　今行けば、まだ温かいよ」

髪を洗ったらしく、アンはしめった髪を肩《かた》に垂らしていた。こざっぱりして、お湯の熱気で上気した顔を見るとどきりとする。ハーブを練り込んだ石けんの香《かお》りに、気持ちがざわつく。

「ああ。そうだね……」

返した声がうわずった。アンはきょとんとしている。

「キース、どうしたの？」

「いや……。髪が、気になって。濡《ぬ》れたままだったら、風邪《かぜ》をひくんじゃないの？　夜だし」

「この季節なら平気。わたしママと旅してた時には、秋くらいまで、夜でも川に入って体を洗ったり髪を洗ったりしてたの」

十七歳にしては子供っぽい表情と、年相応に成長した腰つきや細い手足に、自分でも不思議なほど気持ちを揺さぶられる。耐《た》えきれず、キースは数歩踏み込みアンの腕《うで》に両手をかける。

「君。もしかして忘れてるんじゃないかと思って、確認したいんだけど」

「なにを？」

「忘れてない？　僕は君のことが好きで、恋人《こいびと》にしたいんだって事。今は仕事がこんな状態だから返事は保留にしてあるけれど、いつかは、必ず返事が欲しいんだって事」

言うと、一瞬《いっしゅん》アンの目が泳いだ。

――忘れてたんだな、確実に。

落胆《らくたん》はしたが、アンらしいとは思う。しかし女の子にとってこんな大切なことを忘れられる頭の構造が、不思議でもある。

――忘れて欲しくない。

強い思いが突《つ》き上げてきて、キースはアンの右手を取った。かがみこみ、その右手に口づけた。

「キース!?」

驚《おどろ》いて飛び退《の》こうとするのを、立ちあがって強い力で肩を摑《つか》んでひきとめた。

「本当なら、君にキスしたい」

耳元に囁《ささや》いていた。手に力をこめて彼女の体をしっかりととらえて、言葉を続ける。

「けれど君が答えを出していないから、そんなことできない。けれど忘れないで、僕の思いは。これは君が、僕の思いを忘れないための印だ」

口づけたアンの右手をもう一度捕《と》らえると、口づけた場所を指先で撫《な》でた。

目をまん丸にして、アンはキースを見つめている。恥《は》じらうこともなく、とにかくただただ驚いたような顔をするので、こちらが恥ずかしくなる。握《にぎ》っていた手を離《はな》すと、うわずった気持ちで封印《ふういん》されていた恥ずかしさが吹《ふ》き出して、かっと頰《ほお》が熱くなった。

「その……アン。僕は……」

「ご……ごめんキース。そんなに怒《おこ》ってるなんて……でも。当然かも……とにかく。ごめん」

アンがようやく口を開くが、どうやらキースの真剣《しんけん》な表情を勘違《かんちが》いしてしまったらしい。

「違う。怒っているんじゃないんだよ。ただ、忘れて欲しくなくて」

「ううん。ごめん。……あの……忘れないようにする、絶対」

お互《たが》いがしどろもどろになっていると、聖ルイストンベル教会の鐘《かね》の音が聞こえた。一日の終わりを告げる夜の鐘に救われたような気分になる。キースはその場を取り繕《つくろ》うようにわざと明るい声で言った。

「とにかくお風呂《ふろ》をみんなで使って、寝よう。明日も作業だし。君は先に休んで、アン」

「あ……うん」

キースはその場から逃げ出すように階段を下りながら、自分の耳に触《ふ》れた。熱い。まったくみっともないとは思うのだが、どうしようもない。

シャルだったらアンに対して、これほど無様《ぶざま》に振る舞《ま》わないのだろうか。それとも彼でも、キースのように気持ちを揺らすのだろうか。一度、シャルにも訊いてみたかった。

――キースが怒った！

アンはどきどきする胸を押さえながら部屋に戻《もど》った。キャットたちのカード遊びはお開きになったらしく、参加していた三人は既《すで》にベッドの中にいた。細い蠟燭が一本、部屋の中央に置かれた小さなテーブルの上に灯《とも》っている。

アンは急いで、自分のベッドに潜《もぐ》りこんだ。ぐうぐう眠《ねむ》るミスリルを抱《かか》えるようにして、体を丸める。ミスリルはもぞもぞと身もだえるが、アンの胸の中にすっぽり収まるとまた、気持ちよさそうに眠りはじめる。

――キースが怒っても、当然よ。告白したのに忘れられてたら、わたしだってがっかりする。

肩を摑まれ、腕を取られ、手の甲《こう》に口づけされた。その口づけは紳士《しんし》的に柔《やわ》らかく触れる口づけではなく、もっと荒々《あらあら》しかった。

アンがよく知っている、優《やさ》しくて穏《おだ》やかなキースとは違《ちが》う一面を見せつけられて、すこし怖《こわ》いとさえ思った。昨日まで一緒《いっしょ》のベッドの中に寝《ね》ていた子犬が、突然《とつぜん》成長し、美しい筋肉の足腰《こし》を備えた猟犬《りょうけん》になってしまったような気がした。

肌《はだ》にひりひりするほど、彼が男の子ではなく男性なのだと理解した。

彼の思いに、アンは早く答えを出す必要がある。そうでなければ彼に失礼だ。

アンの思いは、まだシャルから離れられない。

けれどそうやってぐずぐずと自分の思いに引きずられていては、誰《だれ》の幸福にもならない。

——よく考えて。わたしはシャルが好き。じゃ、キースのことは？　好き？　わたしはキースが、好き？

責め立てるように自分自身に問いかけると、様々な事を思い出す。

はじめてキースに出会ったとき、ラドクリフ工房《こうぼう》で、常にアンに対して公正に接してくれたこと。励《はげ》ましてくれたこと。職人としての腕。窮地《きゅうち》に陥《おちい》っていたペイジ工房に、職人として参加してくれたこと。泣いているアンを慰《なぐさ》めてくれたこと。

そして、まっすぐな恋《こい》の告白。

嫌《きら》いになれる要素がひとつもみあたらない。逆に考えれば考えるほど、なんて素敵《すてき》な優しい、いい人だと思う。好きかと訊《き》かれれば、好きだ。おそらく母親のエマのように、なにもかも安心して預けられる相手だ。

湿《しめ》った髪《かみ》が頬にあたるのを感じながら、アンは何かに追い詰《つ》められるように感じていた。

実際、自分は答えを出すことを迫《せま》られている。

——好き……なのかもしれない。それなら、言えばいい。恋人にしてくださいって、キースに。それが誰にとっても一番幸せな道なんだし。

ぎゅっと、思わずミスリルを抱《だ》きしめると、ミスリルが寝苦《ねぐる》しそうにもぞもぞと動いてぽかりと目を開けた。

「アン？　どうした？」

アンの強《こわ》ばった表情になにかを感じ取ったらしく、ミスリルが心配そうに毛布の中から見あげてくる。

「あ、ごめん。苦しかった？　起こしちゃったのかな」

「べつにいいぜ。それよりどうしたんだ、アン。難しい顔して」

「今、考えてたの。わたし……キースのこと好き。だからわたし。キースの申し込み、受けようかって」

ミスリルは眉根《まゆね》を寄せると、やれやれといったふうにため息をつく。

「なに言ってる、アン。おまえがキースを好きなのなんか、当たり前じゃないか。俺だってキースは嫌いじゃないし、シャル・フェン・シャルにしたって、たぶんキースのことは好きだぞ」

「わたしキースのこと、家族みたいになれるかもしれないって思えた。ママみたいに、好きなのかもしれない。でもそれって、人として好きってことよ。キースとわたしは親子じゃない。兄弟じゃない。家族じゃない。わたしが女の子で、キースが男の子で、家族じゃなくて。でも家族になれると思ったら……それはわたしは、キースを男の人として好きなんだろうって……」

ぐるぐると自分の中で巡《めぐ》る思考を口に出すと、それが正しいような気がしてくる。

するとミスリルが冷静に訊いた。

「じゃあ、アン。おまえはシャル・フェン・シャルのことを好きか？」

訊かれて、胸がぎゅっとする。好きに決まっている。頷《うなず》くと、ミスリルが重ねて言う。

「口に出して言えよ、アン」

「それは……」

言いよどんでしまう。心の中にはいくらでも、形のない息苦しいような甘い気持ちがこみあげるのに、「好き」と口に出せと言われると、言えない。口にすることを禁じられている破滅《はめつ》の呪文《じゅもん》のように、心のどこかが口にすることをためらう。

「好きなんだ、って簡単に口に出して言えるようなら、まだ好きじゃないんだよ。多分だけどな」

ミスリルが、そっと手を伸《の》ばしてアンの頰に触れる。

「なんだよ～。泣くなよ。いじめた気分だな」

言われて気がついたが、アンの眦《まなじり》からいくつも涙《なみだ》がこぼれていた。自分が泣く理由はわからないが、シャルのことを好きだと口にするかわりに、涙がこぼれたような気がした。

——よくわからなくなる。

混乱しながらも、自分が決断を迫られているのだけはわかる。

——もう、決めなきゃ。決めてしまえば、こんな事で悩《なや》まずにすむ。仕事に集中できる。わたしの仕事の行き着く先が、シャルが言ってくれたように、シャルの望みと同じ場所なら……。わたしは仕事のことだけを考えていたい。でもわからない。わたしはキースの恋人《こいびと》になる資格があるほどに、キースが好き？　わからない。

固く目を閉じた。

ようやく軌道《きどう》に乗る兆《きざ》しが見えたこの仕事は、是《ぜ》が非《ひ》でもやり遂《と》げたかった。それは妖精《ようせい》のためでもある。しかし同時に、砂糖菓子《がし》そのものがより良いものへと変化するためでもある。そしてその二つの変化が互いに作用すれば、人間と妖精が分け隔《へだ》てなく、同じ職人として仕事ができる日が来る。

アンはそんな工房を見てみたかった。そしてそんな場所で、ずっと働きたい。

自分の目指す仕事の行き着く先の形が、ぼんやりと見え始めている。

──わたしは、自分のするべき仕事をしたい。

自分の心の方向を決めて、自分の仕事の行く先を見つめたい。シャルの望みとアンの仕事の未来が結びつくことは、アンの恋心《こいごころ》が報《むく》われるよりも大切なことのような気がする。

無性《むしょう》に、銀砂糖に触れたかった。銀砂糖に触れ、練り、自らの望む形を捕《と》らえようと懸命《けんめい》になっていさえすれば、アンの心は落ち着いていられる。

ふいにミスリルが、すうっと深く息を吐《は》いた。そしてことりと、銀色の頭がアンの腕《うで》に寄りかかった。

「ミスリル・リッド・ポッド？」

腕の中を見おろすと、ミスリルはにかっと笑った。

「俺様、もう寝る。疲《つか》れちまった」

その笑顔《えがお》はどこかはかなげで、アンはどきりとした。

「ねぇ、ミスリル・リッド・ポッド。どこか具合が悪いの？　この前から時々、様子が変よ」

「大丈夫《だいじょうぶ》だ。俺様は、まださ」

ミスリルは呟《つぶや》くと目を閉じた。

「ごめんな、アン。俺様、ほんとうに眠《ねむ》いんだ」

そう言いながら瞼《まぶた》がゆっくりと下りてきて、すうすうと寝息《ねいき》を立て始める。まるで力を使い果たして、エネルギーが切れてしまったかのような眠りかただった。

――大丈夫って……信じていいの？

腕の中にいる小さな妖精が心配でたまらなくなり、アンはできるだけそっと、しかしけして離《はな》すまいと抱《だ》き込んだ。


様々な思いを巡らしているうちに、眠ってしまったらしい。

「アン。アン」

肩《かた》を揺《ゆ》すられ名前を呼ばれ、アンは目を覚ました。周囲は既《すで》に薄明《うすあか》るくなっており、閉じたカーテンの隙間《すきま》から朝日が筋になって床《ゆか》に落ちていた。

「アン。起きて、アン！」

ベッドを覗《のぞ》きこんでアンの肩を揺すっているのは、ノアだった。切迫《せっぱく》した表情で、紫《むらさき》の瞳《ひとみ》に涙がたまっていた。

「ノア……？　どうしたの」

目をこすりながら上体を起こすと、ノアが震《ふる》える涙声《なみだごえ》で言った。

「ごめんなさい。アン。僕ぐっすり眠ってたから、気がつかなくて」

「なにがあったの？」

ノアの様子に良くないものを感じて眠気《ねむけ》が飛ぶ。

「いないの……。みんなが……」

「みんな？」

「妖精のみんな」

その言葉の意味を理解すると同時に、つま先まで冷たいものが走る。

「まさか、そんな！」

毛布を跳《は》ね上げ、ベッドから飛び降りて駆《か》けだした。

――いなくなるはずはない。シャルが見守ってくれている。逃《に》げ出す気配があれば、教えてくれるはず。

部屋から廊下《ろうか》に出ると、妖精たちが寝起《ねお》きしている部屋の一つを覗きこんだ。毛布がめくれあがった冷たいベッドと、窓から射《さ》しこむ朝日に舞《ま》う埃《ほこり》だけが見えた。急いで次の部屋を覗く。しかしその部屋も、空。次の部屋も空。次の部屋も。

そして小ホールに最も近い最後の部屋を覗くと、そこには一人だけ妖精の女性がベッドに座っていた。ノアに何かと話しかけてくれていた、あの妖精エメレ・トルテ・レイだ。長い金茶色の髪《かみ》の毛を頭の高い位置で一つに結び、背に垂らしている。こちらを振《ふ》り向くとその尻尾《しっぽ》のような髪がさらりと流れた。彼女はアンの顔を見ると、残念そうに目を伏《ふ》せた。

「他《ほか》の……人たちは……」

「夜中に出て行ったわ。わたしは止めたんだけど」

「そんな。約束は……シャルは……」

呟くと、エメレはひどく気の毒そうな表情をした。

「約束なんて、守ることを忘れてしまってるの。ずっとわたしたちは、約束を守ってもらえない環境《かんきよう》にいたから。わたしも約束を守るために、ここに残ったわけじゃないし」

足の力が抜《ぬ》け、扉《とびら》の枠《わく》に寄り添《そ》うようにしてその場に立ち尽《つ》くした。

――どうして誰《だれ》もいないの？　シャルは？　なにがあったの、シャル！

シャルが黙《だま》って彼らを逃がすはずはない。何かがあったのだろう。そう思うと、ぞっと背筋が寒くなり、足に力が入らない。

四章　自由の先の行くべき場所

──なにがあったの。シャル。シャル！　とにかく、なんとかしなくちゃ。

そう思うのだが、衝撃《しょうげき》で次にどう行動するべきか考えられない。

ノアに起こされたらしく、キースとキャット、ベンジャミンとミスリルも、ノアとともに廊下を走ってきた。その場に立ち尽くすアンと、一人だけベッドに腰掛《こしか》ける妖精を見て、彼らも絶句する。

「アン……。ごめんね。アン。僕が気がつかなかったから」

ノアはべそべそと泣きながら、アンの寝間着《ねまき》の袖《そで》を掴《つか》んだ。アンはその紫色《むらさきいろ》の頭を抱《かか》え込むようにして、しっかりと抱《だ》きしめた。

「ノアが謝ることじゃない。これはありえることだってわかってたし。大丈夫。大丈夫だから。けれど、シャルが……どうして……」

自分にも言い聞かせるように繰《く》り返す。

「これはなんなんだ!?　シャル・フェン・シャルの奴《やつ》、なにしてたんだ！」

ミスリルがじだんだ踏《ふ》んで声を荒《あら》げるが、キャットが明るい灰色の前髪《まえがみ》をかきむしりながら、唸《うな》る。

「なにかあったんだな。奴が、なにもしてねぇとは思えない」

「そうですね……。けれどシャルの行方《ゆくえ》を捜《さが》す前に、妖精たちです。ここにいる僕たちだけで、すぐに対応策を考えないと」

キースは言いながら部屋の中に踏みこむと、ベッドに座るエメレの前に膝《ひざ》をついた。

「エメレ・トルテ・レイだよね」

キースが確認《かくにん》すると、エメレは意外そうに目を見開く。

「わたしの名前、知ってるの？」

「ここに来た時に、名乗ってもらったからね。ねぇ、エメレ。妖精《ようせい》のみんながどこへ逃げたか、わからない？」

問うと彼女は肩をすくめる。

「知らないわ。逃げるから来いと言われただけだもの。わたしは行かないと答えたから、彼らはそのまま出て行った」

「……どうしてあなたは残ってくれたの？　エメレ。約束を守るために残ったのじゃないなら」

アンが思わず訊くとエメレは、アンの腕の中でべそべそと泣いているノアの方へ視線を向けた。

「ノアが、ここにいるから」

その言葉に、ノアが涙《なみだ》に濡《ぬ》れた顔をあげた。そして自分が泣いているのがにわかに恥《は》ずかしくなったように、ごしごしと顔をこすりアンから離れる。

「ノアは自由の身なのに、ここにいる。それには意味があると思ったのよ。あなたたちの話すことや未来が嘘《うそ》じゃないから、ノアはここにいるかもしれないと思った。だったら、もしわたしたちが逃げたら、あなたたちが話してくれた夢みたいな妖精の未来が、消えてなくなっちゃうじゃない。だから、残ったの」

エメレの瞳は、髪の色と同じく金茶色だ。不思議な輝《かがや》きのある瞳が、じっとアンを見ている。

――彼女だけは、信じてくれた。

彼女は「逃げない」という約束があるから、逃げなかったわけじゃない。彼女はアンたちが語る未来に賭《か》けようと思ったから、残ってくれたのだ。

「信じる奴が十五分の一かよ。俺たちの努力不足じゃねぇか」

苦々しげなキャットの言葉に、背後から答えた声がある。

「十五分の一なら上等だ。俺は全滅《ぜんめつ》だろうと思っていた」

「シャル!?」

小ホールの方から、シャルがゆっくりと歩いてくる。安堵《あんど》のあまり、アンは思わず駆けだしてシャルにしがみついた。

「良かった、シャル。なにかあったのかと思って……」

涙声になるのを、止められなかった。シャルは一度強く背を抱きしめてくれた。そしてそっと体を離させる。

「シャル、なにがあったんだい」

キースが駆け寄ってきて、続いて、キャットもやってくる。

「連中が夜中に逃げ出した。一人を残して、全員な」

そう言って、エメレの残る部屋の出入り口にちらりと目を向ける。

「それを追って、奴らが逃げ込んだ場所は突《つ》き止めた」

「話が違《ちが》うだろう!? シャル・フェン・シャル。連中が逃げるそぶりを見せたら、アンたちに知らせて、奴らを説得する手はずじゃなかったのか」

ミスリルがキャンキャン喚《わめ》くが、シャルはあっさり首を振る。

「説得は無駄《むだ》だ」

「じゃなんで君は銀砂糖子爵《ししやく》の前で、あんなことを請《う》け合ったんだい! 逃げ出すみんなを説得して、それが無駄なら足止めしてと、約束していたじゃないか! 君が言ったんだよ、アンを罪人にはしないからって。だから僕は」

思わずだろう。キースが責めるように言うが、シャルは平然としたまま、さらにわからない事を言った。

「こいつを罪人にはしない。だから説得はしてもらう。だが、それが聞き入れられる状況《じようきよう》と、聞き入れられない状況がある。ここにいたのでは、妖精たちはどんな言葉も聞きはしない」

謎《なぞ》かけのような言葉に、ミスリルもキースも首を傾《かし》げる。キャットは細い眉《まゆ》をひそめ、しきりに指で顎《あご》を撫《な》でる。

シャルは、アンの次の言葉を待つように腕組《うでぐ》みしてこちらを見ている。

――シャルは昨夜、彼らが逃《に》げ出すときは、説得することは無駄だと思ったから逃がした。けれどここに帰ってきて、わたしたちに説得しろと今更《いまさら》言ってる。なぜ？

それはこの状況で、シャルがアンたちになにかを期待しているからに他《ほか》ならない。この状況でなければ打開できない、何かがあるのかもしれない。

「……彼らを追いかける。わたしが、シャルと一緒《いっしょ》に行く」

何があるのか、なにをすれば良いのかはわからなかった。けれどシャルが無言でなにかを期待している。それに応《こた》えなければならないだろう。

「君が行くの!?　彼らは十四人もいるんだ、危険だよ。それなら僕が……」

「シャルがいるから大丈夫《だいじょうぶ》。それに……シャルの立場がわかってるわたしが行った方が、都合がいいことがあるかも。それよりもキースは、ノアとエメレさんと一緒に、作業をしていて欲しい。せっかくエメレさんもノアも残ってくれてるんだもの」

「けれど」

さらに食い下がろうとするキースの肩《かた》を、キャットが叩《たた》く。

「そうしな。シャルの奴がどういう立場だかはしらねぇが、何かがあるから、あのボケなすはシャルを俺たちの仕事に関《かか》わらせているんだろうからな。パウエルは、残った二人と作業の続きをしろ。俺はルイストンへ行く。妖精の借り受け期間は、七日間だ。こんなにごたついていたんじゃ、もう少し期間を延《の》ばす必要があるだろうからな」

「お願いします」

アンは頭をさげると、もう一度ノアのところに駆《か》け戻《もど》った。彼を抱きしめ、そして目を覗《のぞ》きこむようにする。

「ありがとう。ノア。ノアのいてくれたおかげで、エメレさんは残ってくれた。二人で作業をしてくれる？」

くしゅっと顔を歪《ゆが》めたが、ノアはしっかりと頷《うなず》いてくれた。

「うん。僕、エメレと作業をする」

「見習いは、そうじゃなくちゃいけねぇ。いい見習いは、仕事を休まねぇもんだ」

キャットがノアの頭をぽんと軽く叩く。

「俺はルイストンへ行く。パウエル、後は頼《たの》んだぜ。アンもな」

そう言うとキャットは早足に階下へ向かった。それを見送ったキースは、軽くため息をつくと、アンとシャルに向き直った。

「わかったよ。僕がここに残る。アン。妖精たちのことお願いするけど、くれぐれも気をつけて。シャル。アンのこと、守って」

「当然だ」

シャルはさらりと答えた。気負いのないその答えだけで、充分《じゅうぶん》安心できる。アンはシャルを振《ふ》り仰《あお》ぐ。

「行こう。案内して、シャル」


シャルはアンを胸の前に抱《かか》えるようにして、馬を走らせてくれた。明るい日射《ひざ》しを蹴散《けち》らして、馬の背は上下に揺《ゆ》れる。目に映る景色は緑が濃《こ》い。耳もとを風が走る音が心地《ここち》よかった。

ホリーリーフ城から西側は、なだらかな丘《おか》が続き、それを縫《ぬ》うように川の流れが蛇行《だこう》して南へと流れている。なだらかな丘のほとんどは常緑樹の森で覆《おお》われており、川の両岸には草原が広がっている。

しかしこの緑も西へ向かうにつれて薄《うす》くなり、ごつごつした岩ばかりが目立つようになる。

そして最終的には、ブラディ街道《かいどう》が伸びる荒野《こうや》へと変化する。

シャルの操《あやつ》る馬は、ブラディ街道が始まる少し手前で道を外れ、川沿いの草原へ歩を進めた。馬の踝《くるぶし》を超《こ》す草に覆われた川岸を進みながら、アンは周囲を見回した。

「こんな場所にみんながいるの？」

森の中から鳥のさえずりが聞こえ、川の流れの音が耳に心地よい。足元に群れ咲《さ》く小さな草花が可愛《かわい》らしい。しかしこの辺りは、ルイストンとブラディ街道の中間地だ。荒野から時々野《や》獣《じゅう》が迷いこんだりもするので、人の住む村はない。小麦畑ひとつない寂《さび》しい場所なのだ。

「こんな場所だからこそだ」

シャルは馬を止めると鞍《くら》から下り、続いてアンを抱《だ》きかかえておろしてくれた。川岸の低木に馬を繋《つな》ぐ。

「彼らは逃げ出したが、徒歩で遠くまでは行けなかった。そのうえあの人数の妖精《ようせい》が歩いていたら、目立つことこの上ないからな。とりあえず身を潜《ひそ》めるためにこの森に入った」

シャルは、なだらかな丘を覆う森の方へ向かって歩き出した。膝《ひざ》を超す丈《たけ》の草葉の中を、アンは彼の背を追いながらひょこひょこと歩いた。少し汗《あせ》ばみはじめた頃《ころ》に、森の中に入った。

森の空気はひんやりとして、下生えも少なかった。頭上からは太陽の光が、木の葉の隙間《すきま》を通ってこぼれ落ちてくる。

「見つけられるのかな？　みんなを」

問うと、シャルがわずかに歩調を緩《ゆる》めた。彼に並ぶと、潜めた声で答えが返ってきた。

「奴《やつ》らの方から見つけてくれる」

「どういうこと？」

「静かにしろ」

風が吹《ふ》き、ざわっと頭上で木の葉が鳴る。その後再び静けさが戻るが、右手の方向から、藪《やぶ》をかき分けるわずかな音がした。振り向くと、今度は背後から小枝が折れる音がする。

いくつかの気配がアンたちを遠巻きにしているのに気がついた。

アンがシャルの袖《そで》を摑《つか》むと、彼は立ち止まった。

「シャル。みんな、いるの？」

少し緊張《きんちょう》しながらそっと尋《たず》ねると、シャルは頷く。

「おそらくな」

「なら、ちょうどいい」

アンは息を整えてから顔をあげ、周囲へ向けて声を発した。

「みんな、いるよね！　勘違《かんちが》いしないで。捕《つか》まえに来たわけじゃないから。迎《むか》えに来たの！」

アンたちを遠巻きにしている気配が、固唾《かたず》を呑《の》むように沈黙《ちんもく》する。

「わたしとシャルだけよ。他には誰《だれ》もいない。見てたんでしょう？　わたしたちが馬でこの近くまで来たのも。誰も連れていないでしょう？」

正面の木立の中に、すいと人影《ひとかげ》がひとつ現れた。藍《あい》の髪《かみ》と、さらに濃い藍の羽。アレルだ。警戒心《けいかいしん》をむき出しにした朱《しゅ》の瞳《ひとみ》が、二人を睨《にら》みつけていた。

「アレル。わたし、無理にみんなを連れ戻そうと思ってきたんじゃない。信じて」

「縄《なわ》をかけろ」

アレルが口を開く。

言われた言葉の意味がわからなかった。きょとんとすると、アレルは右手に下げ持っていた縄を、アンに向かって放《ほう》り投げた。

「もしおまえが本当に俺たちに無理強《むりじ》いしないつもりなら、シャル・フェン・シャルの手に縄をかけろ。彼の動きを封《ふう》じろ。それで信じてやる」

彼らの言い分も、わからないではない。シャルの戦闘《せんとう》能力があれば、あっという間に十数人の妖精をねじ伏《ふ》せ、羽を奪《うば》い返すことはたやすい。

アンはゆっくりと縄を拾い上げ、シャルを見やった。

「かまわん。やれ」

あっさりとシャルは、両手首を揃《そろ》えて差し出した。

「ごめんね」

「この程度で奴らが安心するなら、やってやる」

縄をかけるアンの頭上でシャルは囁《ささや》き、冷笑《れいしょう》めいた笑いを口元に見せた。この程度のいましめなら、彼は簡単にどうにかする自信があるのだろう。けれど彼を縛《しば》るという行為《こうい》が嫌《いや》だ。

「縄をかけた。これでいいでしょ？　みんなと話がしたいの」

縄をかけたシャルの手首をそっと撫でた。ざらりと固い縄に縛られた手首に触《ふ》れた後、アンはアレルに向き直った。すると木の幹や藪に隠《かく》れていた妖精たちが姿を現した。少し距離《きょり》を取って二人を取り囲んだ妖精たちは、不安げな表情だ。

「ついて来いよ。こんなに川に近い場所にいたら、人間に見つかる」

顎をしゃくってアレルが歩き出すと、アンとシャルも彼に従って歩を進めた。

妖精たちも二人を囲んで、歩き出す。

緩やかな傾斜《けいしゃ》をのぼり、また少しなだらかな斜面《しゃめん》を下ると、突然《とつぜん》目の前が開けた。

そこは森の中にできた窪地《くぼち》で、中央には小さな池がある。池の水は澄《す》んでいた。水際は、じめついた草に覆われていた。池から少し離《はな》れた場所には崖《がけ》があり、洞窟《どうくつ》が暗い口を開いている。洞窟の周囲に妖精たちが数人、まばらに座っていた。崖から張り出した木の幹に数枚の毛布が引っかけられて、日射しに温められている。

そこが彼らの、昨夜のねぐらだったのだろう。

洞窟の周囲にいた妖精たちは、アンとシャルの姿を見ると立ちあがった。

妖精たちに促《うなが》され、アンとシャルは、十四人の妖精たちが集まる真ん中に押し出される形になっていた。アンは縛られたシャルの手首に触れながら、妖精たちの顔を見回した。

「連れ戻しに来たのね」

妖精の一人が緊張したように言う。アンは首を振った。

「探しに来たのは、本当よ。でも無理に連れ帰ろうとは思っていない。帰ってきて欲しいから、迎えに来たの」

その言葉に、アレルが失笑《しっしょう》する。

「迎えに来た、だとさ」

つられたように、妖精たちもくすくすと笑う。

「なにがおかしいの？」

妖精たちの顔を順繰《じゅんぐ》りに見回すと、アレルが薄笑《うすわら》いのまま答えた。

「帰ると思ってるのか？　俺たちが。奴隷《どれい》になるために、帰るって？　あんたたち人間は、馬《ば》鹿《か》なのか」

「わたしたちの考えている未来を理解してくれたら、帰ってくれると思うの。だから来たの。わたしはみんなと一緒《いっしょ》に帰るまで、みんなと一緒にいる」

「一緒にいるっていうなら、下手《へた》な真似《まね》させられないからな。あんたにも、これだ」

アレルはズボンの後ろポケットを探《さぐ》ると、そこからもう一本の縄を取り出した。そしてアンに近寄ると、彼女の手首を握《にぎ》った。手首をひねられた痛みに、アンは眉《まゆ》をひそめる。

その様子を見つめていたシャルは、小馬鹿《こばか》にするように訊《き》いた。

「俺たちを縛りあげて、それで？　どうするアレル？」

あなどりの響《ひび》きを感じ取ったのか、アレルは不機嫌《ふきげん》そうになる。

「なんだって？」

「これからおまえたちがどうするのかと、訊いてる」

「決まっている。逃《に》げる」

「何処《どこ》へ」

「それを何処か、これから決めるんだ」

その答えに、シャルがさらにうすら笑う。

「おまえの言う、何処かへ逃げて？　それから？」

「それからって、それは……！」

そこでアレルは言葉に詰《つ》まった。その先の答えが、自分でもわからないのだろう。答えられないことに悔《くや》しげに呻《うめ》いたアレルに、シャルは冷淡《れいたん》な声で告げた。

「おまえたちと同じように自らの手に羽を取り戻《もど》し、仲間を集めた奴を知っている。奴自身の戦闘能力の高さと、仲間の戦闘能力の高さで、奴は未来を手に入れようとした。だが奴は滅《ほろ》びた。人間たちと争うことでは、未来は得られなかった。おまえたちはどうする？　戦うのか、逃げ回るのか。まだ別の道を探すのか。見物させてもらう。おまえたちの、それから、とやらをな」

「ごちゃごちゃうるさい！」

アレルは怒《いか》りにまかせたように乱暴にアンの両手首をまとめて縛ると、シャルの方へ向けて肩《かた》を突《つ》き飛ばした。よろけたアンの背を、シャルは縛られた両手で受け止めてくれた。

「こいつらを、その辺の木に縛りつけろ。みんな、集まれ。これからの事を相談だ」

肩を怒らせ背を向けて、アレルは洞窟の方へ歩いて行った。

妖精たちはアレルを追って歩み出しながら、不安げな視線をシャルとアンに向けていた。


ノアが銀砂糖を練る手つきを見つめながら、キースは感心していた。ノアが銀砂糖にはじめて触れてから、一年も経《た》っていない。それなのに彼の銀砂糖を扱《あつか》う手つきはなめらかで素早《すばや》く、無駄《むだ》がない。キースたち人間が、経験で知り得る銀砂糖の質感の変化を、妖精《ようせい》たちは感覚的に理解しているようだ。

ノアの向かい側で銀砂糖を練るエメレの手つきは、おぼつかない。作業を始めて数日だが、彼女は真剣《しんけん》に取り組んでいる。けれど彼女にはノアほど、銀砂糖に対する鋭《するど》い感覚がない。

練りを続けるノアが、ふと目をあげてなにかを探す仕草をした。すると、

「ほら、水」

ミスリルが石の器《うつわ》にくみあげた水を、ひょいと差し出す。

「ありがとう」

ノアは笑顔で受け取り、銀砂糖に冷水を加える。

ミスリルは砂糖菓子《がし》職人になれる資質は皆無《かいむ》だが、職人の補佐《ほさ》としてはいい仕事をする。

「ミスリル・リッド・ポッド。君、砂糖菓子職人の助手としては、本当に素晴らしいよ」

思わずキースが褒《ほ》めると、ミスリルはへへんと鼻の下をこする。

「今更《いまさら》気がついたのか？　キース。俺様は世界一の砂糖菓子職人助手なんだぞ。俺様がいれば、職人の仕事は百倍はかどるぞ」

「不思議だよね。砂糖菓子の作業工程をよく知ってても、君みたいに職人の声がきこえるみたいに手際《てぎわ》よくできる人は、そうはいないよ」

するとミスリルは、珍《めずら》しく考え込むようにしてから答えた。

「職人の声が聞こえるのとは、ちょっと違《ちが》うな。どちらかというと、銀砂糖の声だな。銀砂糖を見てたら、なんとなく次はこれが必要で、職人もこれを必要としているってわかるんだ」

その答えに、キースは驚愕《きょうがく》する。

──銀砂糖の声？

現状を見て、なにが必要か判断する力。ミスリルがそれに優《すぐ》れているのは、妖精ならではの、銀砂糖に対する鋭い感覚があるからだろう。

ミスリルは、砂糖菓子を細工する作業には向いていない。だがもっと別の方向で、砂糖菓子作りに力を発揮する可能性があるかもしれない。

銀砂糖妖精だけではなく、妖精たちは砂糖菓子の様々な工程に関《かか》われる能力があるのではないだろうか。そうだとしたら、妖精たちはもっと仕事を得られる。砂糖菓子を中心にして、人間と妖精たちがより良きものを求めて働ける。

──妖精の力が加わった砂糖菓子作りの工程と、その結果を見てみたい。

アンが口にする、妖精と人間の工房《こうぼう》は、少女らしい優《やさ》しさからくる理想なのかと思っていた。けれど、違うのかもしれない。

アンは本能的に、妖精たちが砂糖菓子に対して、どれほど能力を発揮するかを感じ取っているからこそ、そんなことを理想として口にするのかもしれない。

人間と妖精の工房は少女の夢ではなく、実際的に優れた砂糖菓子を生み出す場所になり得る。

「ねぇ、ミスリル・リッド・ポッド。君は色の妖精になれるかもしれない」

ミスリルはきょとんとして、首を傾《かし》げる。

「色の妖精……て、なんだ？」

「最後の銀砂糖妖精ルルが言ってたんだ。大昔、妖精たちが砂糖菓子を作っていた時には、砂糖林檎《りんご》の木に色の水を与《あた》えて、銀砂糖そのものに色をつける役目を負う妖精がいたんだ。赤や青、黄の銀砂糖を作るんだ。その妖精たちのことを、色の妖精と呼ぶらしいよ」

砂糖林檎の様子を観察し、色水を与え、管理する。観察力とまめさが必要だが、ミスリルにはぴったりだと思えた。

ノアが勢いこんで問い返す。

「色の銀砂糖!? すごい。そんなことできるんだ」

「できるよ。ルルが言っていたし、実際、王家の砂糖林檎の一部には、そうやって色がつけられているのを見た」

ミスリルの瞳《ひとみ》に好奇心《こうきしん》の光があふれ、キースを見あげてくる。

「それ、すごいなキース！　俺様、やってみたい」

「君ならできるよ。そうだな、この仕事が軌道《きどう》に乗ったら、アンたちと一緒に考えてみようよ」

「おうっ！　俺様は色の妖精に……」

そう答えた一瞬《いっしゅん》の後、ふいにミスリルはなにか思い出したように笑顔《えがお》を消した。

「どうしたんだい？」

項垂《うなだ》れたミスリルをおろして、キースは眉根《まゆね》を寄せた。

──様子が……。いつもと違う。

常にぴんとしている片羽が、力なく垂れ下がっている。

「俺は……色の妖精になりたいのにな……」

ミスリルはぽつりと、疲《つか》れたように呟《つぶや》いた。

──なんだか、気持ちが落ち着かない。

池のほとりにある細い木の幹に、アンはシャルとともに縛《しば》りつけられた。両手首をまとめて縛られ、肩あたりを幹にくくりつけられている。手首を縛る縄《なわ》が、ちくちくする。

シャルと一緒《いっしょ》に並んで縛られているので、ぴたりと二人寄り添《そ》うようになっていた。あまりにも密着しているので、草木の香《かお》りに似た彼の肌《はだ》の香りさえ近い。そのせいで気持ちが落ち着かないのかもしれないとは思ったが、少し違う気もする。

胸の奥がざわつくような、胸騒《むなさわ》ぎだ。

――ホリーリーフ城にいるみんなはどうしているだろう。ミスリル・リッド・ポッドは……。

ミスリルのことが、一番気になった。元気に振《ふ》る舞《ま》っているミスリルだったが、近頃《ちかごろ》、様子がおかしいのはあきらかだった。昨夜、腕《うで》の中に抱《だ》いて眠《ねむ》った頼《たよ》りない重さを思い出す。

「一緒に行くべきだ！」

ひときわ大きな声がした。少し離《はな》れた場所で、妖精たちはアレルを中心に、ずっと話しあいを続けていた。その輪の中から、怒ったような声があがったのだ。

「ばらばらに逃《に》げては、心許《こころもと》ない。一緒にみんなで行くべきだ」

「でもこの人数で逃げていたら、目立つ。一人一人、好きな方向へ逃げようぜ」

アレルの言葉に、誰《だれ》かが「そうしよう」と答えるが、また別の声が反対する。

「一人は嫌《いや》よ。そもそも何処《どこ》へ逃げればいいのよ。人間はいろんなところにいるじゃない」

「こうやって人間の目を避《さ》けて逃げれば」

「逃げ続けられるの!?　いつまで逃げ続けられるかわからないわ。結局妖精狩人《かりゅうど》に捕《つか》まるわ。前と同じよ。それくらいならみんな一緒になって、どこかへ逃げて」

「この人数で移動すれば、目立ちすぎる！」

ばらばらに、妖精たちが声をあげる。収拾《しゅうしゅう》がつかなくなると、誰かがアレルに向かって怒鳴《どな》った。

「アレル！　意見をまとめろよ！　逃げることを提案して、計画したのはあんただろう」

「俺の意見は決まってるんだ。みんな好き勝手に逃げればいい」

「いやよ！」

「うるさい！　とりあえず、みんな落ち着けよ」

アレルが怒鳴り立ちあがった。大きな声と、押し出しのいいがっちりとした体つきで、遠目で見ても彼は堂々としている。彼が自然とまとめ役となるのは、当然だろう。ぎょろりとした目で仲間を睨《にら》む。

妖精たちは沈黙《ちんもく》し、疲れたように誰もが俯《うつむ》いた。

「とりあえず……森の中で今日の飯を探そう。みんな腹が減って苛々《いらいら》してる。きちんと飯を食わなけりゃ、逃げる力も出ない。日が暮れないうちに食えるものを見つけようぜ」

力強いアレルの言葉にのろのろと立ち上がりながら、妖精の一人が呟く。

「食い物探して、森の中をうろつくのか……惨《みじ》めだよな」

言いながらも、一人二人と、それぞれに歩き出す。

その呟きに、アレルは傷が痛むかのように顔を歪《ゆが》めた。

——自由？　これが妖精《ようせい》たちの自由だなんて、おかしい。

唇《くちびる》を噛《か》んだ。胸が痛い。

羽を取り戻《もど》して逃げ出した彼らの、これが自由の姿だ。

再び人間に捕《と》らえられることを恐《おそ》れ、逃げ、隠《かく》れる。こんなひどい自由しか妖精にないのだとしたら、やはり人間がこの世界をどこかおかしくしてしまったのだ。世界が歪んでいる。

日が傾《かたむ》き、森の中は暗くなってくる。見あげれば、空にはまだ夕焼け雲がたなびいていたが、葉の生《お》い茂《しげ》る森の夜は早いのだ。妖精たちは明かり取りのために、小さな焚《た》き火をおこした。

その周囲に集まった妖精たちは、おのおのが見つけてきたらしい、草の実や木の実を均等に分けあっている。その食事が済む頃《ころ》には、日はすっかり暮れていた。

暗闇《くらやみ》の中で野獣《やじゅう》の襲撃《しゅうげき》を恐れ、妖精たちは火を絶やさないように交代で寝《ね》ずの番《ばん》をしていた。

真夜中過ぎにアレルが焚き火の番になり、炎《ほのお》に木ぎれを放《ほう》りこんでいる。赤い炎が、彼の藍《あい》色《いろ》の髪《かみ》をてらてらと輝《かがや》かせていた。

池の水際《みずぎわ》からは、蛙《かえる》の鳴き声が響《ひび》いている。

「……シャル」

妖精たちが寝《ね》静《しず》まった頃、アンはそっとシャルに声をかけ、首をねじって彼の顔を見つめる。

「これが妖精の自由なの？」

「今の世界では、羽を取り戻しても自由はない」

特に感慨《かんがい》もなさそうに、平坦《へいたん》な声が返ってきた。彼は哀《あわ》れむように、焚き火の周囲でごろごろと横になっている妖精たちを見つめている。

「彼らも、それが身に染《し》みただろう」

その言葉で、アンはやっとシャルの真意が理解できた。

シャルは昨夜、あえて妖精たちを逃がした。そうすることでシャルは、今ある現実の自由を妖精たちに知らせようとしたのだろう。そして現実の自由を知った彼らに、アンたちが語る未来を、もう一度考えさせたかったのだ。

「こんなのおかしいよね」

「だから俺は、おまえたちに期待している。砂糖菓子《がし》は、人間と妖精の関係を変えるためのきっかけになる」

風が吹《ふ》く度《たび》に、森の木々は静かにざわめいていた。するとそのざわめきに紛《まぎ》れるように、静かな歌声が聞こえた。いつかホリーリーフ城で耳にした、あの呟くような男の歌声だ。

——歌？

声の主を探して周囲を目で探《さぐ》るが、起きているのはこちらに背を見せているアレルだけだ。彼が歌っているのだ。焚き火の番をしながら呟くように歌うその背中が、エマの姿を思い起こさせる。

しかしアレルはなぜ、こんな歌を歌うのだろうか。妖精になじみ深い歌ではないはずだ。人間の歌だ。妖精には妖精の歌があるのではないだろうか。

その時、さかんに鳴いていた蛙の声がやみ、ぽちゃんと池に飛び込む音が続いた。焚き火の番をしていたアレルが不意に立ちあがったのだ。

彼は立ちあがると、眠る仲間たちをしばらく眺《なが》めていた。それからゆっくりと焚き火に背を向けると、静かに一歩一歩、歩き出した。

アンたちの近くまで来たが、彼は無言だ。こちらを見ようともせず、アンたちのくくりつけられている木の横を通り過ぎようとした。

「一人で逃げるのか？　仲間を置いて」

シャルが静かに訊《き》いた。アレルの足が止まる。

「大声を出して、連中を起こしてやってもいいぞ」

怒《いか》りもあらわな表情になると、アレルはこちらにやって来た。呻《うめ》くように言う。

「やめろ。声を出すなよ」

「一人なら安全に逃げられると踏《ふ》んだか？　そのために仲間は、置き去りか？」

「違《ちが》う。俺は、探す必要があるんだ。逃げるわけじゃない。目的のない、他《ほか》の連中とは違う」

その場に膝《ひざ》をつき、アレルは声を押し殺す。

「黙《だま》って行かせろ。俺は、行く必要がある。探さなけりゃならないんだ」

「なにを？　それとも、誰かを？」

思わず訊いたアンに、アレルは眉《まゆ》をひそめる。

「協力できるかもしれない。教えて。わたしママと一緒に王国中を旅していたから、いろんな場所に行った。色々な場所のこと知ってる」

迷うような沈黙の後、アレルは口を開いた。

「俺は……サウスセント近くで売られた妖精を探してる。俺と似た髪の色の……女だ。歌がうまい。歌がうまいから、愛玩妖精《あいがんようせい》として売ると妖精商人どもが話しているのを聞いた。見かけたことがあるか？」

「ごめんなさい。ない……」

ふんと、アレルは鼻を鳴らして立ちあがった。

「アレル？　なにしてるんだ」

焚き火の近くから、声がした。アレルはびくりと羽を震《ふる》わせる。焚き火の脇《わき》に寝ていた妖精の一人が、頭を上げてこちらを見ていた。

「なんでもない。こいつらの縄が緩《ゆる》んでないか、確かめてただけだ」

アレルは焚き火の方へ向き直った。しかし相手の妖精は厳しい顔で立ちあがると、こちらに早足にやって来た。そしていきなり、アレルの襟首《えりくび》を摑《つか》んだ。

「嘘《うそ》つけ。おまえ、一人だけで逃げようとしたんだろう」

「違うぞ。俺は……」

「おまえ最初から、ばらばらに逃《に》げようと言っていたもんな。そうだろう⁉　それともこいつらを逃がして、人間に恩を売って、自分だけお目こぼしに預かろうとしたのか」

「言いがかりはよせ！」

アレルが相手の手を振《ふ》り払《はら》うと、相手はさらにいきり立って摑みかかる。

「じゃあなんで、みんなが寝たのを見計らってこそこそしてる！」

怒鳴り合う声に、妖精たちが目を覚ます。体を起こし、首をもたげる。そしてアレルたちの様子に、驚《おどろ》いたように集まってきた。

「なにしてるの」

「アレルが、一人で逃げようとした！」

「まさか……」

「違う」

とアレルは否定するが、その声に力はなかった。嘘をつきとおすことができないのだ。正直で善良な一面が垣間見《かいまみ》られる。

妖精たちはアレルを取り囲むように、じりじりと詰《つ》め寄ってくる。彼らの背にある片羽が、どれもぴんと張りつめている。アレルの表情は強《こわ》ばった。

「その人は、ほんとうにわたしたちの縄《なわ》が緩んでないか確かめただけよ！」

アンは咄嗟《とっさ》に声をあげた。アレルが目を見開く。

「シャルの縄はわたしが結んだから。それを縛《しば》りなおしてた」

口から出任せで、自分のつく嘘に自信がない。呼吸が乱れそうになるのを押さえつけて、なんとか普通《ふつう》の声が出せた。

殺気立っていた妖精たちの雰囲気《ふんいき》が、なんだといったふうにみるみる引いていく。彼らの表情の変化に、アンはほっとする。

「人騒《ひとさわ》がせな……」

そう言って三々五々、妖精たちは焚き火の周囲へ戻りはじめた。しかし最初にアレルに摑みかかった妖精だけは、彼に鋭《するど》い一瞥《いちべつ》をくれて背を向ける。

アレルは疲《つか》れたような長いため息をつくと、ゆっくりと仲間を追うように歩き出した。数歩進むとちらりとアンの方を振り返ったが、そのままなにも言わずに歩み去る。

再び静寂《せいじゃく》が戻り、蛙の鳴き声が響きはじめる。

「どうしてかばった」

シャルが訊いた。

「どうしてかな。よくわからない……」

唯一《ゆいいつ》言えるとすれば、彼の呟《つぶや》くような歌声がとても切なかったからかもしれない。

エマが旅の間、時々一人で呟くように歌っていた時、なにを思っていたかは知るよしもない。けれどエマの歌に似た響《ひび》きのあるアレルの歌には、誰《だれ》かを懐《なつ》かしむ寂《さみ》しさがある。

「アレルは、あの人と似た髪《かみ》の色をした女の人を探してるんだね。恋人《こいびと》なのかな？」

「さあな。もう寝《ね》ろ。多少窮屈《きゅうくつ》だがな」

ぴたりと体を寄せ合って縛られているので、アンの頭は自然とシャルの肩《かた》にもたれるようになる。目を閉じると、こうやって縛られていても彼が側にいることにほっとする。

そうやっていると、とろとろと眠《ねむ》ってしまったらしい。

初夏とはいえ、水辺の森の夜は冷え込む。アンは寒さに身じろぎしたが、なにかにふわりと包まれ、体が温かくなった。半ば夢の中で、アンはぬくもりの中にすっぽりとおさまる心地《ここち》よい位置を見つけると、ぐっすり眠った。


どのくらい経《た》ったのか。耳と頬《ほお》の冷たさで目が覚めた。

辺りは薄《うす》い霧《きり》が立ちこめており、虫の鳴き声も小鳥のさえずりもない早朝だとわかった。湿《しめ》った霧のせいで頬や耳がひやりとしている。だが首から下はほんのり温かく、寄り添《そ》っている布地の感触《かんしょく》も心地よい。爽《さわ》やかな、春先の若木の香《かお》りのような良い香りがする布地だ。眠《ねむ》気《け》にぼんやりしたまま、それに頬をすり寄せてからぎょっとなる。

――この香り!?

途端《とたん》に意識がはっきりして、自分の状態を把握《はあく》した。

自分が頬をすり寄せているのはシャルの胸で、アンは彼の上衣《うわぎ》の中に潜《もぐ》りこむような形で胸に抱《だ》かれ、すっぽりとおさまっている。一気に体温が上がったみたいに頬が熱くなるのに身動きできないのは、シャルの腕《うで》がアンの肩をしっかり抱いているからだ。

シャルは顔を伏《ふ》せ眠っている。熟睡《じゅくすい》しているのだろう。項垂《うなだ》れて眠る花のように、睫《まつげ》と髪の先では霧の露《つゆ》が細かく光っていた。

――こ、これは……どうしたら。起こすのも悪いし……。

しかも不思議なのは、昨夜は二人とも縄で縛られていたはずなのに、それがすべてとかれ体が自由になっていることだ。

どぎまぎしながらシャルの顔を見つめていると、視線に揺《ゆ》り起こされたように彼の睫が震えた。目を開くと、シャルはすこしぼんやりした表情でアンの顔を見おろす。

「起きたか」

「お……起きた……」

「よく眠れたか」

「意外なほど……ぐっすり」

「よかったな」

眠そうに答えるシャルは動こうとしない。アンはできるだけ平気な顔をしようと努めながら、口を開いた。

「あの、シャル。この状態はちょっと、変かな？ なんて」

「ああ。明け方近くになって、アレルが縄を切った」

「アレルが⁉ どうして」

「さあな。だが縄を切られたところで、おまえは帰ろうとは言わないだろう。だから起こさなかった」

「それは言わない。わたしはみんなと一緒《いっしょ》に帰るつもりだから。でも……どうして」

「あとで本人に訊《き》くんだな」

「うん」

と答えてから、はっとなる。

――じゃなくて！ この状態をなんとかしないと！

改めてアンは、シャルの顔を見あげる。あまりにも顔の距離《きょり》が近いことに、今更《いまさら》ながらに気がついてさらに緊張《きんちょう》した。

「あの、シャル。この状態はちょっと」

「今説明したが？」

訝《いぶか》しげに眉をひそめた彼に、アンは重ねて言う。

「そうじゃなくてね。この状態よ。この……なんていうか、わたしとシャルの距離感《きょりかん》みたいな」

そこまで言うとやっとシャルは、なにかに気がついたように瞬《まばた》きした。しかしすぐに面白《おもしろ》がるようなすまし顔になる。

「それで？」

「それで？　って⁉」

「どうして欲しい？　このままでいいのか、膝《ひざ》に乗せればいいのか、キスすればいいのか？」

「どれも違《ちが》うってば！」

間違《まちが》いなくからかわれているのが悔《くや》しくて、怒鳴《どな》ったアンの背後から、呆然《ぼうぜん》としたような呆《あき》れたような声が聞こえた。

「おまえら、馬鹿《ばか》か？」

シャルは気がついていたらしく別段驚いた顔もしていなかったが、アンは突然《とつぜん》の声に飛びあがってシャルにしがみついて振り返った。

アレルだった。アンとシャルを見おろして、目をまん丸にしている。しかしすぐに周囲に視線を走らせ、仲間がまだ目覚めていないことを確認《かくにん》するとしゃがみこみ、声を潜《ひそ》めた。

「縄を切ってやったのに、逃げなかったのかよ！」

「忘れてないか？　こいつは、押しかけてきたんだぞ。逃げるわけないだろう」

シャルの言葉に、アレルは呻《うめ》く。

「俺たちは逃げるんだ。追い詰められれば、おまえたちを殺して逃げようという連中だって出てくる。昨夜の借りがあるから、逃《に》がしてやろうってのに……。なんで逃げないんだよ。なんで帰れと言うんだ。もう俺たちのことは忘れて、俺たちを逃がしてくれ」

最後の言葉はもはや懇願《こんがん》だった。堂々と振《ふ》る舞《ま》う彼が、迷い悩《なや》み疲れて口にした本音なのかもしれない。アンはシャルから身を離《はな》して、アレルと正面から対峙《たいじ》した。

「ありがとう」

アレルが目をしばたたく。

「でも、あなたたちと一緒に帰れなければ、わたしたちを信頼《しんらい》してくれる銀砂糖子爵《ししゃく》が責めを負う。その上、次に妖精《ようせい》市場で控《ひか》えている十五人の妖精たちのチャンスだって、なくなってしまう。だから帰れないの、あなたたちと一緒じゃなきゃ。アレル。一緒に帰ってくれない？」

「駄目《だめ》だ。俺は、探しに行く」

「昨日言ってた女の人？　恋人？」

「どうだかな……。同じ場所で生まれて、お互《たが》いしか知らなかったからな。仲間の妖精に会ったことはなかったしな。深い森の中で二人きりで。ろくに服も身につけていなくて、穴蔵《あなぐら》に寝て、木の実を食べてた」

自嘲《じちょう》するように口元を歪《ゆが》める。

「妖精狩人《かりゅうど》に襲《おそ》われたの？」

「二人で食べ物を探していて、偶然《ぐうぜん》人間の村の近くへ出ちまって。そこの人間たちが服を着て、煮炊《にた》きをして食って、歌を歌っているのを見て、ファレル……その、女だ。ファレルも俺も、そうしたくなったんだ。服が欲しくて、村から盗《ぬす》んだ。煮炊きの真似事《まねごと》をしたくて、鍋《なべ》や火打ち石を盗んだ。歌を覚えたくて、祭りの日には村の近くにずっといた。そうしてたら、村人に捕《つか》まっちまった。盗人妖精《ぬすっとようせい》だと言われて、俺たちは妖精商人に売られた。でも俺たちは、盗むのが悪いということも知らなかったんだ」

深い森の中で、妖精たちが気ままに暮らしていた姿を想像すると、今のアレルの姿に胸が痛む。彼は片羽をもがれ、人間の目を恐《おそ》れ逃げ回っている。

——妖精たちは、自分たちにふさわしい生き方を求めるだけなのに。

砂糖菓子《がし》は妖精が作りだしたものだ。あれほど高度なものを作る妖精たちは、人間よりもはるかに豊かな歌や文学や詩や、そんなものを育《はぐく》む能力とそれを求めて生きる知性と欲求《よっきゅう》がある。五百年前には、人間よりもはるかに素晴《すば》らしい文化を持っていたはずだ。

アレルが口ずさむ歌は、きっとファレルという女性と一緒に覚えた人間の歌なのだ。けれど彼らが口ずさむのが、なぜ人間の歌なのだろうか。

妖精の歌は、何処《どこ》へ消えたのだろうか。

その疑問とやるせなさを見透《みす》かしたように、シャルが静かに口を開く。

「おまえや、その女が望んだ妖精の文化は滅《ほろ》んだ。妖精は生きているが、文化は滅んだんだ。

妖精だけでは、上衣一枚作るための仕組みさえない。歌う歌さえ、伝わっていない。だが唯一《ゆいいつ》、残されていたのは砂糖菓子を作る妖精の技術だ。奇跡《きせき》的にな」

「奇跡？」

アレルが呟《つぶや》いた直後、シャルが急に膝を立て、身構えた。彼の全身に緊張がみなぎり、羽がぴりっと震《ふる》え硬質《こうしつ》な銀色の輝《かがや》きを増す。彼の視線は、霧《きり》の流れる小さな池の向こう側に注がれていた。霧が巻く木々の幹の間を透《す》かし見るように目を細める。

「シャル？　どうしたの？」

シャルは答えず、妖精たちが眠《ねむ》る周囲にも視線を走らせ、軽く舌打ちする。そして右掌《てのひら》を軽く広げる。そこにきらきらと、霧の粒《つぶ》から光を引き出すように輝きが集まってくる。

「アン。アレル。眠っている連中を起こせ。俺の周囲に集めろ」

「どうした!?」

緊迫《きんぱく》したアレルの声に、シャルは鋭《するど》く応《こた》える。

「妖精狩人だ」

周囲から、下草を踏《ふ》む足音が聞こえ、アンはアレルと顔を見合わせた。

「行け、二人とも！」

形になった剣《けん》を手に、シャルが立ちあがる。それと同時にアンとアレルは、熾《おき》になった焚《た》き火《び》の周囲に眠る妖精たちの方へ向かって走った。

五章　選ぶ日

たなびく霧の向こうから、眠る妖精たちを囲むように六つの人影《ひとかげ》が歩み出てきた。どれも屈《くっ》強《きょう》な人間の男で、腰《こし》には剣、あるいは背に弓と矢がある。全員が、先端《せんたん》に分銅をつけた長い鎖《くさり》を手にしている。

シャルは形になった剣を正眼に構えた。

——誰《だれ》かに見られていたな。

十四人の妖精たちは用心深く、真夜中にホリーリーフ城を抜《ぬ》け出したが、城の周囲には小さな集落がある。目撃《もくげき》されていたとしても不思議はない。十四人もの妖精が真夜中に移動している異様な光景を目撃すれば、誰しも噂話《うわさばなし》の種にする。

それが妖精狩人たちの耳に入ったのだろう。

アンとアレルが妖精たちを揺《ゆ》り起こし、目覚めた彼らは周囲の状況《じょうきょう》にぎょっとしたようになる。そして強《こわ》ばった表情で、シャルの背後に集まってくる。

全員がそろったのを見計らい、シャルは背中越《ご》しにアンに命じた。

「池のほとりに伏《ふ》せろ」

妖精たちはシャルの背後にある池のほとりに固まると、その場に伏せる。こうしておけば、シャルは一方向の攻撃《こうげき》さえ気にしていればいい。背後は小なりとはいえ、池だ。対岸から矢が届く距離《きょり》ではない。

妖精狩人たちが包囲を狭《せば》めるように近づいてくると、彼らの面白がるような表情がわかる。

「頭。戦士妖精だ」

妖精狩人の一人が、首領格らしい髭《ひげ》の男に緊迫した声で告げる。しかし髭の男は歯を見せて笑う。

「怖《お》じ気づくんじゃねぇ。あの数を狩《か》れば、半年分の稼《かせ》ぎだ。それにこいつ、見ろ。たいしたべっぴんだ。こいつを狩れば、一匹《いっぴき》で十四匹《びき》ぶんの金になる。気を抜くんじゃねぇぞ」

髭の男の目配せで、六人が一斉《いっせい》に分銅つきの鎖をまわしはじめる。

背後で、アンが立ちあがった。

「待って! 彼らは、銀砂糖子爵の所有している妖精よ! わたしは銀砂糖子爵から彼らを預かっている銀砂糖師よ!」

声を張ったアンに、妖精狩人たちはけらけらと笑い声で答えた。そして髭の男が、わざとらしく目尻《めじり》をさげる。

「聞こえねぇなぁ、お嬢《じょう》ちゃん。俺たちはなんだかしらねぇが、集団でうろうろしてる妖精を見つけたから狩るだけなんだぜ。ここにあんたみたいなお嬢ちゃんがいたことは、こいつらを狩り終わったら忘れちまうぞ」

「わたしは忘れないわ」

「あんたが忘れようが忘れまいが関係ねぇ。あんたは喋《しゃべ》れねぇよ。この池の底に沈《しず》んでればな」

脅迫《きょうはく》めいた言葉に、アンが怒《いか》りを抑《おさ》えきれなくなったように踏み出そうとする。シャルはそれを片手をあげて制した。

「よせ。妖精たちと一緒《いっしょ》に、伏せていろ」

「でも！」

「妖精狩人にとって妖精は商品だ。簡単には殺さない。だがおまえは、狩りを邪魔《じゃま》する小娘《こむすめ》で、商品じゃない。一年分の稼ぎを得られる機会なら、奴《やつ》らは小娘一人簡単に殺す」

蒼白《そうはく》になったアンに、今一度静かに命じた。

「伏せていろ」

狩人たちの荒《すさ》んだ粗暴《そぼう》な目の色で、シャルの言葉が真実だと悟《さと》ったのだろう。アンは青い顔で、妖精たちのところへ駆《か》け戻《もど》った。

妖精狩人たちを見回し剣を構えると、怒りよりも、研《と》ぎ澄《す》まされた決意に似たものが体の芯《しん》を支えているのに気がつく。

——妖精たちの文化は滅びた。この世界では、好きな場所へ向かって歩く自由すらない。

今こうやって妖精たちが逃げ出して自由になったと叫《さけ》んでも、それは草一本みあたらない荒《こう》野《や》の真ん中に放り出されるのと同じだ。

ラファルに集められ、羽を取り戻し散っていった仲間たちも、背後に伏せて震える仲間と同様の現実に直面しているはずだ。

妖精《ようせい》自身はすでに、緑を生む種一つ、それを育む水一滴《ひとしずく》すら持っていない。

だが唯一、人間たちの中に種が残っていた。それが砂糖菓子だ。その種を人間たちが今、更《さら》地《ち》に一つ落としたのだ。この種を育てることが、やがて妖精たちの土地を蘇《よみがえ》らせる事に繋《つな》がるかもしれない。

歌う歌さえなくした妖精たちにも、歌が戻るかもしれない。

──そのためにならば、戦おう。

シャルはふと微笑《びしょう》した。羽が張りつめ、銀色に輝きわずかに震える。

その微笑みに訝《いぶか》しげな顔をした妖精狩人《かりゅうど》たちに、シャルは告げた。

「銀砂糖子爵《ししゃく》の妖精に、それと知って手を出すのなら……足一本、腕《うで》一本くらいは覚悟《かくご》しろ」

「かかれ!」

髭の首領が号令すると同時に、シャルも走った。

真正面にいた狩人との間合いを一瞬《いっしゅん》で詰《つ》めると、その速度に反応しきれず、狩人は剣を抜く暇《ひま》もなく飛び退《の》こうとする。そこを右肩《みぎかた》から左脇腹《ひだりわきばら》にかけて、斬《き》りおろした。さっと浅く切りさかれた肌《はだ》から、血が飛び散る。返り血を避《よ》け背後へ飛ぶと、斬られた狩人が悲鳴をあげても

んどり打って倒《たお》れる。

シャルの体勢が崩《くず》れたところに、左右から分銅つきの鎖が飛んだ。鎖が右から二つ、左から二つ。シャルの銀の刃《やいば》に巻きついた。きりっと鎖は引き絞《しぼ》られ、刃が動かなくなる。

そこへ、首領が突進《とっしん》してくる。

シャルは剣を握《にぎ》る右手を軽く振《ふ》った。それにより、剣が銀の光の粒になって一瞬にして消えた。鎖を力一杯《ちからいっぱい》引き絞っていた四人がバランスを崩し、背後によろめく。

突進してきた首領がぎょっと足を止めるが、シャルは低い姿勢で駆け寄り、足払《あしばら》いをかけて男を仰向《あおむ》けに倒した。ひっくり返った首領をまたぐようにして立ちながら、右掌に気を集中させ、銀の刃を出現させる。そして髭の首領の喉仏《のどぼとけ》に、ぴたりと切っ先をあてた。

「全員動くな！」

シャルの声に、妖精狩人たちが動きを止める。

妖精狩人の首領は、顔を引きつらせてシャルを見あげていた。

「もう一度言ってきかせる。ここにいる妖精たちは、銀砂糖子爵ヒュー・マーキュリー所有の妖精だ。それを承知で狩るというなら、この刃を突き立てる」

「ど……どんな理由があれ、妖精が人間を害せば処分されるぞ」

震える声に、シャルは薄《うす》く笑《え》みを返す。

「関係ない。誰も訴《うった》えない。おまえたち全員が、この池の底に沈めばな。そこで倒れてる一人と、おまえと、残りの四人。俺がこの程度の人間を相手にできないと思うか？」

今の一瞬で、彼らにはシャルの技量がわかったはずだ。

首領の顔色はいよいよ悪くなり、幾度《いくど》かつばを飲み込む喉《のど》が、刃の下で上下した。

「わかった。この妖精たちは、銀砂糖子爵が所有する妖精だ。狩りはしない」

「聞いたか？　そこにいる全員、剣《けん》と矢、鎖を池の中に捨てろ」

剣を構えたまま、シャルは背後にいる妖精狩人たちに命じた。狩人たちは迷うように互《たが》いに目配せしたが、結局、腰の剣、手にある鎖、背にある矢を池の中に放《ほう》り投げた。

次々と池の中央に水しぶきが上がる様を確認《かくにん》しながらも、シャルはまだ、じっと妖精狩人を見おろしていた。そうしていると残忍《ざんにん》な狩人をこのまま串刺《くしざ》しにしたいような、冷えた殺意が胸の奥にくすぶる。

「捨てたぞ。これで、いいだろうがよ」

刃を突きつけられても、妖精狩人はあくまで強がる。

「これからも、妖精を狩り続けるのか？」

冷えた声で発した質問にアンがなにを感じたのか。彼女は立ち上がり、すがりつくような声を出す。

「シャル!?」

足元で仰向けになった妖精狩人が、歯を見せた。

「あたりめぇだろうが。狩り続ける。それが俺たちの商売だ」

「やめる気はないか？」

「おまえらを買う連中がいなくなりゃ、やめるぜ」

その言葉に、シャルは突然《とつぜん》、目の前にいる妖精狩人に対する殺意が薄らぐのを感じた。

――この連中も結局は、ただの世界の構造か。

刃を引くと、シャルは妖精狩人の腰《こし》にある剣を取りあげた。そしてそれを思い切り、池に向かって放り投げた。

「もういい。行け」

言うと、妖精狩人の首領は用心深く起き上がった。そして仲間たちに目配せして、倒れている仲間を支えさせた。彼らは背後を気にしながら、川の流れる方向へ姿を消した。

それを見送った妖精たちは、ほっと息をつきながら立ちあがった。しかしアレルだけが、肩《かた》を怒《いか》らせてシャルに詰め寄ってきた。

「なぜ逃《に》がしたんだ！　奴らを殺せた！　奴ら、また武器を仕立てて俺たちを追ってくるかもしれないぜ！　俺たちを追ってこなくても、また別の場所で別の仲間を狩ろうとするぞ！」

シャルは手を振って銀の刃を消しながら、アレルと、そして彼の背後にいる妖精の仲間たちに視線を向けた。

「妖精が売り買いされる世界の構造がある限り、彼らのような人間は生まれ続ける。彼らを殺しても、意味がない。もし彼らを根絶やしにしたいならば、世界の構造を変える必要がある」

誰《だれ》かが、呟《つぶや》いた。

「変わりっこない。そんなの、夢だ」

するとと妖精たちの中にぽつんと立っていたアンが、首を振る。

「夢だって誰も実行しなければ、いつまで経《た》っても夢のままよ。わたしたちは変えたいと思うから、みんなに帰ってきて欲しい」

強い言葉に、妖精たちが顔を見合わせる。アンは必死で言葉を探すようにして、続ける。

「妖精が仕事をもって、それでお金を稼《かせ》げば生活できる。そうやって立派に生きてる妖精を妖精狩人が狩《か》ろうとしたって、その妖精たちの仕事を必要としていれば、街の人たちが妖精たちを守ってくれる。だって、その仕事をしてくれる妖精が必要なんだもの。そうやってはじめは人間と一緒に生きて、それから少しずつ、妖精たちのための村や町が作られていけば」

それを聞いていたアレルは、唇《くちびる》を震《ふる》わせ、拳《こぶし》を握った。絞り出すように叫んだ。

「でも俺たちは今、自由が欲しいんだ！　ファレルを探しに行きたいんだよ!!」

「探し出して、そして二人で妖精狩人に怯《おび》えながら逃げ続けるのか？　森や荒野を彷徨《さまよ》って、獣《けもの》のように食い物をあさって。それで、おまえとその女は満足して生きられるのか？」

シャルの静かな問いに、アレルは俯《うつむ》いて唇を噛《か》む。

「ホリーリーフ城を出てから、一日と少し。今、この自由な時間で、なにがわかった？」

妖精たちが、目の前に刃を突きつけられたように表情を強《こわ》ばらせる。

「妖精の世界は崩壊《ほうかい》した。俺たちはもう歌うべき歌さえなくした。妖精が獣のように生きて満足ならば、銀砂糖など作らなかった、王など存在しなかったはずだ。妖精は獣ではなく、よりよく生きることを望んだから社会を作り、王をいただき、砂糖菓子《がし》を作り歌を歌ったはずだ」

妖精は生きている。しかし彼らが生きるべき世界はもうこの地上にはない。身につける衣服を作る技術も仕組みも、食べ物を生産する土地も仕組みもない。独自の読むべき文字もなく、歌う歌さえなくした。

妖精たちがよく知っていながらも、目を背《そむ》け続けている事実をシャルは彼らに見て欲しかった。

突然、アレルが呻《うめ》くとその場に膝《ひざ》をついた。声を殺し、嗚咽《おえつ》をもらす。

シャルはアレルを見つめながら、淡々《たんたん》と続けた。

「妖精の世界を蘇らせるために、妖精が人間と再び戦うことも方法かもしれない。だが圧倒《あっとう》的に数が少ない俺たちが必ず勝てるとは言えない。人も妖精も疲弊《ひへい》し、土地が荒《あ》れる」

容赦《ようしゃ》なく語られる現実に、妖精たちは次第に力をなくしたように背にある羽がしおれていく。彼らもこの一日で、骨身に染《し》みたのだろう。羽を取り返し、自由を得たとしても、そこに妖精が幸福に暮らせる場所がないのだということが。

シャルは一歩踏《ふ》み出し、妖精たちに視線を向ける。

「だが別の道もある。ゆっくりと、五百年の澱《おり》を消していく。人間と手を結び、人間と共存し、互いを必要とする関係を作っていく」

「そんな方法があるのか？」

妖精《ようせい》の一人が、疲《つか》れたように訊《き》くともなしに呟く。

「妖精は人間よりもすぐれた砂糖菓子職人となれる素質がある。だからこそ銀砂糖妖精は人間に保護され、今まで生き残っていた。今、銀砂糖子爵《ししゃく》がすすめる計画が遂行《すいこう》されれば、自分の羽を取り戻《もど》し、銀砂糖妖精として生きられる可能性が生まれる。人間の砂糖菓子職人と同等だ。だがそれで世界が変わるわけじゃない。おそらくそうやって、何十年、何百年と時間を重ねて、妖精と人間は変化していかなくてはならない」

妖精たちにとっては、酷《こく》な現実なのはわかっていた。今ではなく、数百年の遠く未来をみすえるということは、容易にできることではない。

シャル自身も妖精狩人《かりゅうど》に狩られ、妖精商人に売り買いされていた時は、自由だけを望み、その先のことなど考えもしなかった。

だがこうやって自由を得て知ったことは、今のハイランドに妖精が本当の意味で自由に生きられる場所は存在しないということ。

そして人間と妖精は、相容《あいい》れないものではなく、ともに生きることが可能かも知れないということ。

妖精たちに語るシャルの言葉を、まるで自分に課される責任を聞くように、真剣《しんけん》な目で聞いている少女が、すべてをシャルに教えた。

——そうだった。

ふと蘇《よみがえ》るのは、出会った頃《ころ》アンがシャルに言った言葉だ。友だちになりたいと言うアンをシャルが突《つ》っぱねると、彼女は言ったのだ。

『これはただ、ママとわたしの理想。でも理想だ、夢だって誰も実行しなければ、いつまで経っても理想のままよ。だからわたしは、実行する』

と。

今も彼女は出会った頃と変わらず、同じような言葉を妖精たちに告げている。

シャルはアレルの前に片膝《かたひざ》をつくと、肩に触《ふ》れた。

「妖精と人は、ともに生きられる可能性がある。そしてゆっくりと、俺たちは世界を取り戻す可能性が残されている。おまえと、おまえの捜《さが》す女が求めた歌も、取り戻せる。いつか」

妖精たちが気後《きおく》れするように、戸惑《とまど》いの表情でシャルの周囲に集まってきた。彼らはシャルを見つめ、不思議そうな顔をする。

しばらくするとアレルが顔をあげた。朱色《しゅいろ》の瞳《ひとみ》が、すがるようにシャルを見つめている。

「何者だ、おまえは」

絞《しぼ》り出すように問う。

「そうだ、あなたは誰だ」

「誰なんだ」

妖精たちもまた声を潜《ひそ》めて訊く。その畏《おそ》れるようなかすれ声は、訊いてはならないことを訊いているのだと、彼ら自身、本能で悟《さと》っているかのようだった。

「俺は何者でもない」

「嘘《うそ》だ。あんたは、違《ちが》う。どこか違う」

妖精の誰かが言った。シャルは立ち上がると軽く首を振《ふ》る。

「たとえ仮に俺が何者かであったとしても、それでおまえたちになにかしてやれるものでもない。世界を変えようと思えば、絶対的な一人の力ではどうにもならない。一人一人が世界を変えるために決断する必要がある。だから俺は、望む。妖精が人間と手を結ぶきっかけになることの機会を、妖精が生かせることをな」

アレルがまっすぐな朱《しゅ》の色で、射るようにシャルを見あげてくる。

「この機会を生かせれば、俺たちは俺たちの望む世界を取り戻せるのか？」

「いつかな。それが十年後か百年後か、数百年後か。時間は必要だ」

「数百年、もっと先でもいい。俺たちは歌うべき歌も取り戻せるか？」

「必ず」

確証はない。だが可能性として、シャルはそれを信じたかった。だから自らの決意をこめて、答えた。アレルが瞬《まばた》きもせずに告げる。

「それならば、俺は帰る。あんたに従う」

自然とアレルはシャルに向かって頭を垂れた。

すると集まっていた妖精たちが、ゆっくりとその場に片膝をつくと、アレルと同じように頭を垂れた。

「従おう」

「帰ります」

風が草原を撫《な》でるときのように、静かな決意の言葉が広がってくる。

彼らの決意の先に、彼ら自身の自由や幸福が約束されているわけではない。けれど彼らは百年以上先を見つめて、決意したのだ。それは哀《かな》しみに似た決意の言葉だ。

それに呼応し、シャルの体に冴《さ》え冴《ざ》えとした思いが生まれてくる。

——俺は見届ける必要がある。人間王の誓約《せいやく》の行方《ゆくえ》を。

頭を垂れる妖精たちの思いが、覚悟《かくご》を促《うなが》す。そして池の水際に立ち、妖精たちに跪《ひざまず》かれるシャルを不安そうに見つめるアンの姿にも、強い思いが引き出される。

——そして恐《おそ》れてはならないのかもしれない。人間とともに歩むことを。……アン。

流れる霧《きり》の中で佇《たたず》む、細い手足の小柄《こがら》な少女を見つめる。これほど小さな存在なのに、しなやかに折れることのない生き物。

る。

仲間たちの未来を望むのと同じように、強く揺《ゆ》るぎない思いが自分の中にあるのを再確認《かくにん》する。

――手放したくない。

人間であるアンが妖精であるシャルと結ばれれば、彼女は不幸になるかもしれない。それを恐れ、シャルはアンへの思いを封《ふう》じ、彼女がキースとともに生きる未来を望んでいた。

しかし妖精たちに人間と共に歩むための覚悟を促した自分が、様々なことを恐れ、人間であるアンと歩むことを放棄《ほうき》してはならないのかもしれない。

もう一度シャルは、自らの思いを見つめ直す必要がある。

――あいつを手放したくない。永遠に、守りたい。

今確認できる自分の思いは、ずっと以前から変わらず、そして単純だ。この思いをシャルはどう扱《あつか》うべきか。

シャルは静かに命じた。

「立て。みんな」

それに応じて、妖精たちは立ちあがる。

「ホリーリーフ城に帰る」

妖精たちは気負いなく、なにかを悟ったような穏《おだ》やかな表情で頷《うなず》く。そしてアンとシャルとともに、ホリーリーフ城へ向けて歩き出したのだった。

妖精たちがホリーリーフ城に到着《とうちゃく》したのは、昼を少し過ぎた頃だった。一昼夜の逃亡《とうぼう》で疲れきった妖精たちは、城館の玄関《げんかん》を入るとどこかほっとしたような表情になった。

「アン！　シャル！　それに、みんなも！」

作業場のある一階右翼《うよく》から、ノアが駆《か》けだしてきた。その後ろにはエメレもいる。

「ノア。エメレ。ただいま」

飛びついてきたノアを受け止めて、アンは紫色《むらさきいろ》のさらさらした頭を撫でた。

ノアとエメレに対して、妖精たちは少しばつが悪そうな表情になった。エメレは草の汁《しる》や泥《どろ》で汚《よご》れた彼らの服や顔を見て、呆《あき》れたように肩《かた》をすくめて笑った。

「まあ、みんな汚《きたな》い。作業に入る前には、水を浴びて綺麗《きれい》にしてよね」

するとアレルが、ぎょろ目でエメレを睨《にら》んで嫌《いや》な顔をする。

「おまえなんかに言われなくても、水は浴びるぜ。いいかい、あんた」

確認されて、アンは破顔した。

「もちろんよ。って、いうか。是非《ぜひ》そうして。わたしも後で体を綺麗にする」

「あ、僕も手伝う！　桶《おけ》が足りないから、裏から持ってくる。僕ここに住んでいたから、いろいろなものの場所はよくわかってるから」

ノアはぴょんとアンから離《はな》れると、生き生きした表情で妖精たちの前に飛び出した。屈託《くったく》ないその態度に、妖精たちの表情も緩《ゆる》む。

「それにしても、みんなよく帰ってくる気になったわね。どうしてかしら」

ノアとともに浴室へ向かう仲間を見送りながら、エメレが感心したように言う。そしてちらりと、アンの背後に立つシャルに視線を向ける。

「あなたが説得した？」

「自分たちで気がついたんだろう。少し疲《つか》れた。休む」

シャルはすいと歩きだし、ゆるく曲線を描《えが》く階段をのぼっていく。

逃《に》げ出した妖精《ようせい》たちを徹夜《てつや》で追跡《ついせき》し、その後アンを伴《ともな》って妖精たちを追ったのだ。さすがにシャルも、疲れているのだろう。

彼の後ろ姿を見送りながら、アンは彼がとても近寄りがたく遠い存在になってしまったような気がしてならなかった。

――シャルはやっぱり特別な存在。妖精たちにとって大切な存在。わたしを守るなんて誓《ちか》いを立ててくれたけど、そんなことさせていいわけない。

妖精たちは気がついたのだ。シャル自身が妖精王と名乗ったわけではなかったが、妖精たちは彼に特別なものを感じ取り、そして彼の言葉を信じた。

だからアンは妖精たちとの仕事に全力を傾《かたむ》け、シャルの言葉を引き継《つ》ぐのだ。妖精たちが戻《もど》ってきてくれたことに、人間たちは応《こた》える義務がある。

シャルに恋《こい》するより、守ってもらうより。彼の言葉に応えることこそ、アンがやらなくてはならないことだ。

自らの責任を強く感じる。体の芯《しん》に一本、強いものが通ったような気がした。

「アン！」

作業場の方から、今度はキースが駆け出てきた。アンの姿を見ると、ほっとしたような笑顔《えがお》になる。馳《は》せ寄ってくると、アンの右手を両手で包むようにして握《にぎ》った。

「よかった。君が無事に戻ってくれて。それに、みんなも一緒《いっしょ》に帰ってきてくれたんだね」

「でも丸二日間無駄《むだ》にしちゃった。残りの五日間で、みんなの作業ができるかな？」

「心配いらねぇよ」

階段の上から、声がした。見あげると小ホールの手すりから、キャットが顔を出していた。

階段を下りて来た彼には、どこか疲労感《ひろうかん》が漂《ただよ》っていた。疲れている主人のことなど知らぬげに、相変わらずベンジャミンは、キャットの肩の上でうつらうつらしている。

「ボケなす野郎《やろう》が狼《おおかみ》と交渉《こうしょう》して、もう二日ほど、奴《やつ》らに関しては借受期間を延ばした」

度重《たびかさ》なる条件の変更《へんこう》を、キャットはヒューに申し入れ続けたのだろう。ヒューもキャットも、妖精商人たちとの交渉でくたくたのはず。それでも彼の表情には満足感がある。

「ありがとうございます。キャット」

アンは頭をさげ、心の底から彼らの働きに感謝した。

「ぐずぐずしてらんねぇぞ、七日間だ」

鋭《するど》い猫目《ねこめ》でアンとキースを見つめて、キャットが言う。

「作業に集中しろよ。てめぇもな、エメレ。他《ほか》の連中の尻《しり》をひっぱたけ」

「わたしがひっぱたかなくても、大丈夫《だいじょうぶ》よ。みんな、帰ってきたんだもの」

エメレはすまして答えた。


翌日から、エメレの言葉通り、妖精たちが作業に向かう態度はまるで違《ちが》っていた。

聖ルイストンベル教会の鐘《かね》の音を合図に、整然と行動するところは変わらない。だが作業に向かう目つきが違う。彼らはこの一週間で銀砂糖妖精の候補とならなければ、妖精市場に帰ることになっているのだ。誰《だれ》もが選ばれたいと願い、必死に銀砂糖に向き合っている。

それが痛いほどわかるから、つらかった。

アンたちは彼らを選ばなくてはならないのだ。それを思うと、作業に立ち会う自分自身も必死にならざるを得なかった。妖精たちにできる限りのコツを教え、指導する。

一日の作業が終わるとくたくただったが、一日、一日が過ぎるのが恐ろしくて、なかなか寝《ね》付《つ》けなくなった。彼らを選ぶ日が迫《せま》ってくるのが怖《こわ》いのだ。

だが七日間は、瞬《また》く間に過ぎる。

六日目の作業が終わり作業場の片付けをしているとき、キャットがアンとキースに声をかけた。

「おまえら、夕食後に作業場に下りてこい。決める」

それだけ言って、キャットは作業場を出て行った。アンはキースと顔を見合わせた。とうとう来たという思いが、二人共通しているのがわかった。

夕食後作業場へ向かうと、キャットは既《すで》に丸椅子《いす》に腰掛《こしか》け、作業台に頬杖《ほおづえ》をついて待っていた。アンとキースに、そこへ座れと目顔で示す。

二人はキャットの前に腰《こし》を下ろした。

「シャルや、ミスリル・リッド・ポッドは？　ベンジャミンもいないようですが」

作業場を見回しながら、キースが訊《き》く。

「奴らにも声をかけたが、奴らは砂糖菓子《がし》職人じゃねぇから判断できねぇから来ないとよ」

妖精たちの冷静さに、アンは頭が下がる思いだった。

彼らはアンたちとともにこの仕事に携《たずさ》わっているが、砂糖菓子職人ではない。その彼らが関《かか》わるべきではないと考えたのだろう。心情的には仲間の運命の選択《せんたく》に関わりたいはずなのに、それをアンたちに任せると言っているのだ。

キャットが細い指で机を叩《たた》きながら、単刀直入に切り出した。

「誰を残す？　二人とも、それなりに判断してるんだろうが」

二人同時に頷く。キャットはぶすっとした表情で、それでも淡々《たんたん》と言った。

「アレル。リシス。シューレ。この三人だ。俺が残したいのは」

蠟燭《ろうそく》が微《かす》かなすきま風で揺《ゆ》れると、壁《かべ》に映る三人の影《かげ》もまた揺れる。

「僕も同じその三人です。あと一人、セレがどうにかすれば、可能性がありそうな気がします」

キースが言う。アンも意を決して、言った。

「アレル。リシス。シューレ。セレ」

一人一人の名前を言うだけで、声が震《ふる》えそうだった。

「可能性があるなら、セレは残すべきだな」

キャットは言うと、珍《めずら》しくため息をつく。

「四人か」

十五分の四。手当《てあ》たり次第《しだい》十五人の人間を連れてくれば、砂糖菓子職人の資質がある人間は、よくて一人。一人もいないこともあるだろう。

それを考えれば、妖精たちが銀砂糖妖精になり得る比率は、人間よりもはるかに高い。

——けれど残りの十五分の十一は、ただの数字じゃない。今ここにいて一緒に仕事をして、笑ったり、怒《おこ》ったりしている、妖精たちだ。

アンはうつむき、キースとキャットは沈黙《ちんもく》した。

——苦しい。

肺の中に鉛《なまり》を詰《つ》め込んだように、苦しくてたまらない。十一人の妖精に、羽を返せと要求しなくてはならないのだ。また妖精市場に戻って売られろと、アンたちは彼らに言うのだ。

アンはドレスの膝《ひざ》の布地を握りしめた。

罪深くひどい仕打ちをすると知っていながらはじめたことなのだから、泣くのは愚《おろ》かだ。泣くくらいならば、やらなければいい。だから絶対に泣きたくなかった。

「明日、帰るんでしょう？　わたしたち」

沈黙の音さえ聞こえそうな中に、ふいに声がした。

ぎくりとして、アンも他の二人も、声の方向を振《ふ》り返った。

作業場の出入り口近くに、エメレがいた。金色の瞳《ひとみ》がこちらを見つめていた。その背後には、むっとした顔のアレルをはじめ、ノアも、他の妖精たちも全員いた。

エメレはするすると軽い足取りでアンたちに近寄ると、彼らの前に小さな革《かわ》の袋《ふくろ》を置いた。

それは彼女の羽が入れられている袋だ。

驚《おどろ》いてエメレの顔を振り仰《あお》ぐと、彼女は微笑《ほほえ》んだ。

「羽。返しとくわ。明日ばたばたするのは、面倒《めんどう》だから。思わず今夜、逃げ出したくなっても困るし」

ノアが大きな紫《むらさき》の瞳からぽろぽろと涙《なみだ》をこぼしながら、エメレの傍《かたわ》らにすり寄る。

「エメレ。帰るんだよね。僕、エメレが優《やさ》しくて好きだったのに」

するとエメレが苦笑《くしょう》する。

「わたしは坊《ぼう》やみたいになれなかったけれど、坊やは続けてね」

そのエメレの横をすり抜《ぬ》け、彼女と同じように、他の妖精《ようせい》たちもアンたちのところにやってくると、次々と羽の袋を作業台に置く。

二つ、三つ、四つと。彼らの羽を入れた袋が並べられていく。

「どうして……」

思わず口をついて出た言葉に、最後に作業台の上に袋を置いた妖精が答えた。

「約束だからな」

こみあげるものをこらえられなくなり、アンは俯《うつむ》いて唇《くちびる》を噛《か》んだ。

――約束だなんて。こんな、約束！

彼らに捧《ささ》げる感謝の言葉や、励《はげ》ましの言葉。遠い未来への約束の言葉や、自分たちの覚悟の言葉。言いたいことは山のようにある気がしたが、すべて言葉にはならなかった。

「残った四人は、ここで銀砂糖妖精になる修業《しゅぎょう》をする。逃《に》げないと誓《ちか》う」

アレルの声がした。すると誰かが、混ぜっ返す。

「逃げるなよ、アレル。惚《ほ》れた女を探しに行きたいってな！」

「俺は行くぜ。必ず探しに行く。でもそれは銀砂糖妖精になって、自由になった先が見えてからだ」

キースが立ちあがった気配がした。

「銀砂糖妖精だけじゃない。砂糖菓子作りにはまだ、妖精の力がより良く作用する作業が他にもあるよ。いずれ僕たちは、その作業にも君たちの力を借りたい。だからその時はまた、君たちを呼び寄せるかもしれない。保証はできない。けれど、僕はやりたいと思ってるから」

「あら、そう？　ならまた、頼《たの》むわね」

エメレが軽く返事した。

「わりぃな、みんな」

キャットが沈《しず》んだ声を出す。誰かが、当然のように答えた。

「わかっていたから、いいさ」

アンは顔をあげられないまま、呟《つぶや》いた。

「ごめんね……。ありがとう……。ごめん、ごめんね……」

誰だかわからなかったが、妖精のひんやりとする手がアンの頭を軽く撫《な》でてくれた。その手の冷たさは心地《ここち》よくて、優しかった。

妖精たちの思いに促《うなが》されるように、アンは顔をあげた。

「わたしも、約束する」

滲《にじ》む視界の向こうに見える妖精たちに、告げた。

「ここに残るみんなが銀砂糖妖精として、砂糖菓子職人として認められ必要な存在となるように。わたしたちは方法を考えて、実行して。実現するから。約束する」

妖精たちは頷《うなず》いた。


ミスリル・リッド・ポッドが、膝を抱《かか》えて夜空を見あげながら呟く。

「みんな、帰るんだな。妖精市場に」

今夜アンたちが、妖精たちを選ぶことをシャルもミスリルも知っていた。しかし二人も、そしてベンジャミンも、それに関わるべきではないと思っていた。これは職人の仕事なのだから。

妖精たちも、選ばれる時がやって来たことに感づいたらしい。アンたちが作業場に下りていくのを見ると、誰《だれ》ともなしにみんながぞろぞろと立ち聞きに行った。

シャルとミスリルは、彼らの邪魔《じゃま》にならないように城館を出た。ベンジャミンは既にぐうぐうベッドで眠《ねむ》っているので、放っておいた。

庭を囲む雑木林の中に入り、枝振《えだぶ》りの良い大木を見つけてのぼった。シャルは背を幹に預け、足を枝先に向かって伸《の》ばして腰掛けた。ミスリルはシャルのブーツの先からさらに向こう側、ほぼ枝の先端《せんたん》あたりに腰を下ろしている。

空には細い月がかかっている。頼《たよ》りないのに、なぜか輝《かがや》きは鋭《するど》く美しい月だ。森の下生えの中からは、ジージーと虫の声が聞こえる。

「酷《こく》な話だがな」

「でも、そうしなけりゃいけなかったんだもんな」

ミスリルは仲間に対して、罪の意識を感じているのかもしれない。自分だけがこうやって羽を取り戻《もど》し自由でいるのに、仲間を妖精市場に帰すのを見送るのだから。しかしそれはシャルにしても同じだ。

「妖精市場に帰った彼らが、次に来る妖精たちに伝えてくれるだろう。彼らが考えて決断したことをな」

シャルは木の葉を一つちぎり取ると、くるくると指先でもてあそぶ。

ミスリルの後ろ姿に目をやる。暗い夜の中、彼の羽が透明《とうめい》で艶《つや》もなくしおれているのは、仲間たちへの思いからなのだろうか。それとも。

「ミスリル・リッド・ポッド。おまえはなにかを隠《かく》していないか？」

ミスリルは、ふり返りもせずに肩《かた》をすくめた。

「別に」

その素《そ》っ気なさが、不満だ。いつものようにうるさく、うざったく、迷惑千万《めいわくせんばん》に振る舞《ま》ってくれたなら、首根っこを捕《つか》まえて「隠し事をするな、答えろ」と、脅《おど》し半分に言える。
だがそうやって静かに背中を見せられていては、手が出せない。

六章　砂糖林檎の白い花

翌朝。十一人の妖精たちを妖精市場へ帰すための馬車が出発した。それをホリーリーフ城にいる全員が見送った。

明るい初夏の日射《ひざ》しの中、去って行く馬車の姿にアンの胸は痛んだ。

――ごめんなさい。ありがとう。ごめん……。

謝罪と感謝の言葉が、交互《こうご》に自分の中に押し寄せてくる。しかし、その思いに押しつぶされてはいけないのだ。彼らの決断に報《むく》いるためには、アンは自らのできることをするしかない。

――ありがとう。だから、わたしたちは仕事を進める。

馬車の消えた方向を見つめながら、アンはしゃんと背筋を伸ばして表情を引き締《し》めた。

アレルたち、残った四人の妖精に砂糖菓子《がし》作りの技術をたたき込まなくてはならないし、明日にはまた、妖精市場から十五人の妖精たちがやってくるのだ。

「さあ、僕たちもはじめよう」

馬車の消えた方向を見つめていつまでも動けないでいたアンは、キースに声をかけられてはっとした。庭先に残っているのは、アンとキース。アレルを含《ふく》む四人の妖精。そしてノアだけ。

「あれ、シャルとかミスリル・リッド・ポッド。キャットとベンジャミンは」

　きょろきょろすると、キースが苦笑《くしょう》した。

「シャルとミスリル・リッド・ポッドは、もう城館の中へ入ったよ。ヒングリーさんは、明日やってくる妖精を手配するために、妖精市場に行くって」

　アレルが呆《あき》れたように肩をすくめる。

「おいおい、大丈夫《だいじょうぶ》かよ。俺たちは、あんたに指導してもらうんだぜ」

「わたし、あんまりしっかりしてる方じゃないけど、砂糖菓子のことなら大丈夫よ。まあ、……たぶんだけど」

　その答えに、アレルをはじめ妖精《ようせい》たちが笑いだす。するとノアが、むきになって言う。

「本当だよ！　アンはすごい銀砂糖師なんだからね」

「すごい、か。じゃあ。よろしく頼むぜ。銀砂糖師」

　言葉は軽いが、朱《しゅ》の瞳《ひとみ》には真剣《しんけん》さがあった。

「うん。行こう。作業場に」

　アンはキースとともに、妖精たちを伴《ともな》って作業場に向かった。

　聖エリスの香《かお》りが強いのは、毎朝作業場を掃除《そうじ》したノアが、きちんと聖エリスの粉をまいてくれるからだ。作業場の掃除と道具の手入れは、見習いの仕事なのだ。

「ノアは元からそうだけど。アレル、リシス、シューレ、セレの四人も、今日から見習いとして働いてもらうから。朝は作業場の掃除と、作業の後は道具の手入れをお願い」

アンは作業場の奥へ進みながら、竈《かまど》に触《ふ》れる。

「みんなに、知らせておかなきゃいけないの。あと一ヶ月半くらいして夏の終わりに、砂糖菓《が》子《し》工房《こうぼう》の派閥《はばつ》、マーキュリー工房《こうぼう》派とラドクリフ工房派から、主だった職人たちがみんなの仕事ぶりを見に来るの」

「それが?」

職人の世界のことなど知るよしもないアレルたちは、アンが深刻な顔をしている理由がわからないらしい。

「三大派閥のひとつ、ペイジ工房では、もう妖精の見習いの受け入れがはじまってる。けれどマーキュリー工房派とラドクリフ工房派では、はじまっていない。それは職人たちが、妖精を見習いにすることに反対してるからなの。そこで派閥の長《おさ》や長代理たちは、職人たちを説得するために、あなたたちの技量を職人たちに見せようと考えてるの。だからここに、あなたたちの仕事ぶりを見に来る」

「どの派閥に属していても、職人は職人だよ。職人を納得《なっとく》させるのは、職人の持つ技術しかないんだ」

キースが静かに告げる。するとおずおずと、ノアが訊《き》く。

「あの、それって。夏の終わりに僕たちの様子を見に来た職人さんたちが納得してくれなければ、二つの派閥には妖精は入れなくなるって事?」

「そうよ」

アレルたちも、やっと事の重大さがわかったらしい。低く唸《うな》り顔を見合わせる。

「ノアは大丈夫だろうが。俺たちにできるか?」

いつも強気な朱の瞳が、らしくない不安を見せる。アンは自信を持って笑顔《えがお》で頷《うなず》く。

「できるわ。キャットとキースと、わたしが選んだんだもの。これから増えてくる妖精たちは、時間的な問題で、どこまで技術の習得ができるかわからない。けれどアレルたちには、あと一ヶ月半以上ある」

不安げな彼らに、アンは強い口調で言った。

「わたしたちを信じて。あなたたちはできるって、わたしたちは判断した。わたしたち、そんなに悪くない職人よ。その目を信じて」

するとアレルの濃《こ》い藍色《あいいろ》の羽が濃さを増し、ぴんと張りつめる。

「じゃ、信じるか!」

その声は陽気に怒鳴《どな》っているような、力強さだった。

それに呼応して、妖精たちが全員頷く。彼らの気持ちの高揚《こうよう》を感じ取り、アンの心は弾《はず》んだ。

「うん。信じて」

言いながらアンは、銀砂糖の樽《たる》に手をかけた。樽の蓋《ふた》を開け、銀砂糖に触れる。さらさらと指の隙間《すきま》から流れる銀砂糖を見つめていると安心感が増す。

——大丈夫。みんなやれる。

その日からノアと四人の妖精たちは、掃除や道具の手入れといった見習いの基本的な仕事をこなすと同時に、銀砂糖を練る練習を始めた。

アンたちは七日に一度妖精市場からやってくる妖精たちを受け入れ、彼らの資質を見極《みきわ》め、選ぶことを繰《く》り返した。そうしながら、夜には選ばれた妖精たちの指導をする。

毎日、朝から真夜中まで仕事がある。

唯一《ゆいいつ》の休みは、集められた妖精たちが妖精市場に帰るその日だけだ。

その日は、選ばれた妖精たちも仕事を休む。それでもノアやアレルたちは、休みなしで練習をしたいと申し出ることもあった。

しかしそれは「しっかり働くには、休養も必要だ」と言って、キャットが断固拒否《きょひ》した。

妖精市場から七日ごとにやってくる妖精たちの中には、確実に銀砂糖妖精の資質を持つ妖精たちが含まれていた。十五人のうち、必ず四人か三人は銀砂糖妖精になれる可能性があった。

そしてその中でも一人、二人は、銀砂糖に対する勘《かん》のよさに驚嘆《きょうたん》するほどの妖精がいた。

アレルも、突出《とっしゅつ》して勘の良い一人だ。

銀砂糖を見事な艶《つや》に練り上げるようになるのに、一月とかからなかった。アレルの銀砂糖の練り方は、ペイジ工房の職人頭オーランドと似ていた。特に力をこめる様子もないのに、手の返しや冷水を加えるタイミングの調整で、みるみる練り上げていく。人間が少年時代から修業《しゅぎょう》して会得《えとく》する技術を、まったくの感性だけでやってのける。

さらに妖精たちの銀砂糖の扱《あつか》いで目を見張ったのは、はずみ車を使った銀砂糖の糸を作る作業でだった。

アンとキースがやり方を見せ、こつを伝えると、彼らは三日ほどですらすると銀砂糖の糸を紡《つむ》ぐようになった。

二十日ばかり過ぎると、銀砂糖の糸を織りあげる作業もこなすようになった。

妖精たちが、砂糖林檎から銀砂糖を精製する方法を発見したのも当然だと思えた。銀砂糖も砂糖菓子も、もとは妖精のものだ。それを目の当《ま》たりにした気がした。それを感じると、彼らが銀砂糖を練り、糸を紡ぐ光景がうれしくてたまらなくなる。

ただし基本的な銀砂糖の扱いはうまくとも、それを砂糖菓子という形にするのには、まだ時間が必要だった。それればかりは短期間でどうにもならないらしかった。

気温が上がり、砂糖菓子作りには不向きな季節になっていた。

ハイランド王国の夏は大陸の国々に比べれば過ごしやすいのだが、それでも昼間、太陽の下にいればなにをしていなくとも汗《あせ》ばむ。

妖精たちの修業《しゅぎょう》は順調だったが、唯一の気がかりはミスリルのことだった。彼は作業場に来ていろいろと手伝ってくれているのだが、時折ふと、姿を消すことがある。なにをしているのかと問いただしても、答えてはくれない。しかも夜には、まるで気を失うようにして、アンの腕《うで》の中でぐったりして眠《ねむ》る。以前のように、上へ下へと、寝《ね》ぼけて暴れ回る事も少なくなった。なにか心配事があるのか、具合でも悪いのかと問いただしても、ミスリルは答えてくれない。

それが不安だった。

その日もアンとキースは、左翼《さよく》の作業場で、選ばれた妖精たちに練りとはずみ車の使い方を指導していた。そうしていると、さっきまで作業場の中にいたミスリルの姿が見えなくなっていた。

――また、いない。

心配のあまり、アンはもう我慢《がまん》できなかった。

――探しに行こう。それで問《と》い詰《つ》めるんだ、今日こそ。

そう決意した時だった。

「よお、やってるな。お二人さん」

玄関《げんかん》ホールへ続く出入り口から、呑気《のんき》な声がした。出入り口の扉《とびら》の枠《わく》に肘《ひじ》をかけ、ヒューが軽く手をあげていた。暑さのためか、茶の上衣《うわぎ》を肩《かた》にかけ、シャツの袖《そで》を肘までまくっている。野性的な彼の風貌《ふうぼう》にはぴったりな砕《くだ》けた様子だが、とても銀砂糖子爵《ししゃく》とは思えない。

彼が来訪するとは聞いていなかったので、アンもキースも驚《おどろ》いて出入り口に駆《か》け寄った。

「子爵。どうされたんですか、急に」

「来るって、聞いてなかった」

「知らせなかったからな、当たり前だ。キャットは？　あいつは外出か？」

キースが答える。

「いいえ。ヒングリーさんは右翼《うよく》で、作業に入っています」

キャットは右翼の作業場で、妖精《ようせい》市場から来ている妖精たちの作業に入り、彼らの資質を見る仕事にかかっているはずだった。

「ならちょうどいい。キャットを呼んで、二人とも小ホールにあがってこい」

ヒューは身を翻《ひるがえ》して玄関ホールへ向かう。すたすたと階段をのぼっていった。その後ろにはいつものように、サリムが付き従っている。

アンたちは妖精たちに、休憩《きゅうけい》するように伝えた。妖精たちは三々五々、庭に出たり部屋にあがったり、散っていく。それを見届けてから、キャットを呼びに行った。

ヒューの来訪を告げるとキャットは嫌《いや》な顔をしたが、アンたちと同じように妖精たちに休憩を指示し、右翼の作業場から出た。三人で小ホールに向かうと、ヒューは長テーブルに腰掛《こしか》けて、組んだ足をぶらぶらさせていた。

「行儀《ぎょうぎ》がわりぃぞ、てめぇ！　テーブルから尻《しり》どけろ！　それでもお貴族様か！」

その様子を見るなり、キャットが怒鳴る。と、ヒューは肩をすくめて立ちあがる。

「おまえに、お行儀を言われるとは思わなかったな」

「今のてめぇの格好は、どっから見てもごろつきだ」

着るものにはうるさいキャットは、ヒューのいい加減な服装に鼻じろんだ様子だ。

「暑くてな。それはそうと、妖精たちは順調に増えているようじゃないか」

「うん。今、十六人もいるの。昨日、妖精市場から来た十五人の中にも、三人か四人は、資質のある人がいると思うから。もうすぐ二十人弱になる」

「思っていたより、順調だな。夏の初めに大騒動《そうどう》を繰り広げたから、多少は心配していたが」

「順調なんだから、てめぇは無駄《むだ》に顔を見せるんじゃねぇよ。今日はなんなんだ。てめぇが顔を見せると、ろくな事じゃない気がする」

噛《か》みつくキャットに、ヒューはにやにや笑って答える。

「そうでもないぜ。今日は朗報だ」

「朗報？　なに？　ヒュー」

単純に、朗報の単語に反応してアンは声を弾ませた。

「マーキュリー工房《こうぼう》派とラドクリフ工房派の連中が、見学に来る日が決まった。十日後だ」

「十日後!?　早くないですか!?」

キースが目を丸くする。

「予定どおりだ。予告していただろう。二ヶ月後には、来るとな」

職人たちは、妖精の職人としての技量を見にやってくる。当然、彼らを納得《なっとく》させるものを見せなくてはならない。

「なにを見せればいいのかな？」

人差し指を唇《くちびる》に当て、アンは思わず呟《つぶや》く。キースも難しい顔になる。

「そうだよね。職人たちを納得させるものを、その場で見せないと」

「妖精たちの技量を見せろ」

ヒューは、簡単に言ってくれる。キャットが眉《まゆ》をひそめた。

「ただ仕事をしてるところを、はいどうぞと見せて、職人連中が恐《おそ》れ入ると思ってんのか？てめぇはよ」

「まあ『よく仕込んだな』くらいには、感心するだろうがな。それだけだろう」

しれっと答えるヒューに、キースは呆《あき》れたように言う。

「それだけでは、派閥《はばつ》が妖精を受け入れるインパクトとしては弱い。わかっていらっしゃるんでしょう？」

「だからだ。技量を見せろと言ったぞ」

「いちばんいいのは、作品を見せることだと思うの。でも、ヒュー。妖精たちはまだ、砂糖菓《が》子《し》を形にする技術はないの」

選ばれた妖精たちの数は、今では十六人。彼らの技量は、目を見張るものがある。だが極端《きょくたん》に短い修業期間では、とうてい銀砂糖を形にする技術まで身につけることができないのだ。妖精たちの基本的な技術は高い。だがやってくる職人たちに対して、形になったものを見せることができない。

「ならば、あるもので勝負するしかないぞ」

鋭《するど》くヒューに見つめられ、アンたち三人は口をつぐむ。

ここにいる妖精たちを任されているのは、三人なのだ。その三人が、どのくらい妖精たちの技術をあげられているか。そしてその彼らの能力を、どうやって知らしめるか。試《ため》されるのだ。

「俺はおまえたちに、この仕事を任せている。下手《へた》な口出しをするつもりはない。十日後は、二つの派閥から長《おさ》と、長代理。職人頭。その他《ほか》の希望する職人たちは誰《だれ》でも来ていいと言ってある。奴《やつ》らを納得させろ」

最後の言葉は、銀砂糖子爵としての命令だった。

キャットは顔をしかめるが、アンとキースは表情を強《こわ》ばらせた。

彼らの表情の変化を確認《かくにん》すると、ヒューはちらりと笑う。そして手にしていた上衣を再び肩にかける。

「帰るぞ、サリム」

壁際《かべぎわ》に控《ひか》える護衛に声をかけ、ヒューはさっさと階段を下りていった。アンたちの前を通り過ぎるサリムは、気の毒そうに三人に視線を向けたが、無言でヒューの後を追った。

「どうしよう……」

玄関ホールからヒューが出て行ってしばらくすると、アンは呟いた。

「納得させろって。妖精たちはまだ作品を作れない」

「彼らが練る銀砂糖や、彼らの紡《つむ》ぐ銀砂糖の糸を使って、僕たちがなにか作ってみせる？」

キースの提案に、キャットが首を振《ふ》る。

「馬鹿《ばか》言うんじゃねぇよ。そうしちまったら、俺たち三人の作品披露《ひろう》になっちまう。妖精の存在意義なんか、見えなくなっちまう」

「でも、妖精たちの今の状態じゃ。銀砂糖は形にならない」

アンは唇を噛む。キースも顎《あご》に手を当てて考え込み、キャットも腕組《うでぐ》みして唸《うな》る。しばらく沈黙《ちんもく》が続いていると、妖精たちが庭から玄関ホールに入ってきた。そろそろ休憩の時間は終わりだ。

キャットが前髪《まえがみ》をかき回しながら、深いため息をつく。

「とりあえず、作業の続きだ。どおすりゃいいのか、考えながらな」

三人で黙《だま》って突《つ》っ立っていても仕方がないので、アンたちは続きの作業に戻《もど》った。

夕食後も、アンとキースとキャットは三人で作業場に入って、十日後の対応策を考えた。しかし結局良い案は浮《う》かばず、聖ルイストンベル教会が真夜中の鐘《かね》を鳴らしたのを合図に、ベッドに向かった。

夜は気温が下がり、窓を開けていれば寝苦《ねぐる》しいことはない。

だがアンは寝付《ねつ》けなかった。ミスリルを抱《だ》きしめて、幾度《いくど》もベッドの中でごろごろと寝返《ねがえ》りを打っていた。

ミスリルは結局今日もまた、ふらりと作業に戻ってきて仕事を手伝ってくれた。そして早々にアンのベッドに潜《もぐ》りこんで寝《ね》てしまったので、彼を問いただす機会はなかった。

——起こして、問いただすのも可哀相《かわいそう》だし。

ミスリルのことと、さらに十日後の対応策のことが気になって、睡魔《すいま》はやってこない。

アンは寝ることを諦《あきら》めて、ミスリルをそっとベッドに寝かせると自分は起き出した。

小ホールに行くと、蠟燭《ろうそく》一本だけともして踊《おど》る炎《ほのお》を見つめていた。小さな羽虫が、蠟燭の炎に集まっている。

「十日後……まずいよね……。形にならないなんて……」

両手で頭を抱《かか》える。

もしかしたら、作業の様子を見せるだけでも充分《じゅうぶん》かもしれない。彼らの技術の高さはそれなりに、わかってもらえる。だがそれが果たして、職人たちの心を動かすほどの、強い印象になってくれるか。

　──印象が弱い。だからヒューも、あえて「技量を見せろ」と言ったんだ。だが形を作れない妖精《ようせい》たちの技量を、どうやって見せるべきか。

「前髪を蠟燭で焼くのか？　なんの遊びだ」

皮肉な声が背中の方から聞こえ、アンは飛びあがった。

「シャル⁉」

前髪を押さえながら振り返ると、蠟燭のわずかな光の中でも艶《つや》やかさがわかる黒い瞳《ひとみ》がアンを見おろしている。

「焼けてた⁉」

「それなら面白《おもしろ》かったがな。残念なことに、焼けてない」

ほっと手を下ろすと、指で額を弾《はじ》かれた。アンは再び額を押さえた。

「なにするの〜」

「寝ろ。この夏じゅう、おまえたちは働き過ぎだ」

その自覚はある。暑さと疲労《ひろう》で食欲《しょくよく》がないので、自分でも少しばかり腰《こし》が細くなったと思う。胸に至っては、言わずもがな。せめて睡眠《すいみん》くらいは充分にとらなければならないとは思うが、今はまったく眠《ねむ》れる気がしない。

「うん、もう少し眠くなったら寝る。それはそうと、シャル。ミスリル・リッド・ポッド、ずっと前から様子がおかしいよね。なにか知ってる?」

「おかしいのは知ってる。だがなにを訊《き》いても奴は答えない」

「そっか……答えたくないことなのかな……」

シャルは窓の方へ視線を向けた。色ガラスで花模様を描《えが》いたはめ殺しの窓が、月光を浴びて床《ゆか》にとりどりの色を落としている。今夜は満月なのだろう。

「月が綺麗《きれい》だ。眠る気がないなら、少しつきあうか?」

「なににつきあうの?」

「散歩だ」

それは良い提案のような気がした。こうやって前髪を焼きそうなほど蠟燭と睨《にら》み合っているよりは、よほどいい。蠟燭を消して立ちあがる。

「うん、行く」

シャルはすたすたと先を歩いて行く。膝《ひざ》裏まで流れる彼の片羽が、歩みにあわせてさらりと銀色に揺《ゆ》れる。アンは彼においていかれまいと、早足でついていった。

シャルは玄関《げんかん》を出ると城館裏手にある廏《うまや》に向かい、馬に鞍《くら》をつけた。そんなに遠出をするつもりなのかとびっくりしていると、廏から馬を引き出して鞍にまたがったシャルが、手を差し出す。

「乗れ」

夜とはいえ、この近辺は比較的《ひかくてき》安全な土地だし、なにしろシャルが一緒《いっしょ》なのだ。大丈夫《だいじょうぶ》だろうと判断して差し出されたシャルの手を握《にぎ》ると、鞍の上にひっぱりあげてくれた。

空の高い位置に浮かぶまん丸の月が、美しかった。

気温の関係なのか、月は、冬よりもよほど大きく近くに見える。冴《さ》え冴《ざ》えとした光は、その青さを浴びるだけで肌《はだ》がすっと冷えるような心地《ここち》よさだ。

シャルの腕《うで》に守られるようにして、アンは馬の背に揺られた。最初、シャルは気まぐれに馬を走らせているのかと思ったが、そのうち、彼の手綱《たづな》さばきに迷いがないことに気がつく。

「ねぇ、シャル。どこか行きたいところでも……」

問いかけて振り返る。シャルは前方を見つめたままだ。返事がないのでもう一度声をかけようとしたとき、ふと甘い香《かお》りに気がついた。

よく知っている香りだ。けれどずいぶん久しぶりにかぐ香り。

はっとして、アンは前を向いた。

「わぁっ！」

思わず声が出た。

「砂糖林檎《りんご》の花!?」

目の前には影のような森が広がっていたが、その一角だけが、月光を浴びて白く輝《かがや》くようにけぶっている。砂糖林檎の林だ。

砂糖林檎は真夏に、銀色がかった細い枝に真っ白い小さな花をつける。群れ咲《さ》く真っ白い花は甘い香りを放ち、さわさわとかすかな風に揺れている。

シャルは馬を砂糖林檎の林の中に乗り入れると、歩みを止めた。まず自分が鞍から下りると、アンを抱《だ》き下ろしてくれる。アンは夢中になって、白い花を見回す。

「満開ね！　今年は、とってもいっぱい花が咲いてて、去年と全然違《ちが》う。今年は豊作になる」

気分が高揚《こうよう》する。

去年の砂糖林檎の花は、数が少なく、花の元気もなかった。砂糖林檎の林全体がわびしい感じだった。けれど今年は違う。新たな命が吹《ふ》きこまれたかのように、花の白さは輝くようで、数は多く、砂糖林檎の銀灰色《ぎんかいしょく》の幹や枝も生き生きしている。

砂糖林檎の幹を撫《な》で、花の香りをかぎ、アンはあたりを歩き回った。下生えは柔《やわ》らかく、ふかふかとした歩き心地《ごこち》も気持ちよい。

シャルは手近な花を指先でつつきながら、手持ちぶさたの様子だった。それに気がつき、アンはシャルに近寄ると彼の上衣《うわぎ》の裾《すそ》を摑《つか》んだ。

「ありがとう、シャル。元気づけるために連れてきてくれたんでしょ？」

「暇《ひま》つぶしだ」

素《そ》っ気ない答えにも、彼の気持ちは感じる。

「大丈夫よ。わたし、シャルやルルの望むもののために、努力するから。考えるから」

「なにがそんなに問題だ？」

「形にならないの」

シャルの上衣から手を離《はな》し、アンもまた花びらを指でつつく。花びらはなめらかな手触《てざわ》りだ。

「妖精のみんなは、とても技術が高い。練りも上手だし、銀砂糖の糸を紡《つむ》ぐのも、人間よりもはるかに早く習得して、上手にやってのける。けれど作品として形にするのは、妖精でも時間が必要みたい。十日後にはマーキュリー工房《こうぼう》派とラドクリフ工房派の職人たちがやってくるのに、彼らに印象深いものを見せられないかもしれない」

「作れないものは、作れない」

あっさりと当然のことを言われて、アンはため息をついた。

「そうなのよね」

「彼らができるものを見せるしかない」

「でも職人たちを納得《なっとく》させなければいけないの。シャルやルルや、妖精市場に帰ってくれた妖精たちのために。ノアやアレルや、ホリーリーフ城に残ってくれているみんなのためにも、わたしたちは」

「アン」

必死で言葉を紡ぐアンの首筋に、シャルの手が触《ふ》れる。ひやりとした気持ちよさに、息を呑《の》む。

「俺たちは、おまえたちに感謝している。それで充分だ。あまり気を張るな」

彼の声は落ち着き、静かな威厳《いげん》が感じられた。いつものシャルの声でいつものシャルの口調なのに、月光を背に白い花に包まれる彼には、おかしがたい何かがある。

──妖精王。

目をそらせない。

──妖精王は、なんて美しいんだろう。

睫《まつげ》に光る月光も、一筋一筋がくっきりと月に光る黒髪《くろかみ》も、なにもかも美しい。

──綺麗。

アンの手は思わず、月光が滴《しずく》のようにまとわりつくシャルの髪《かみ》に触れた。さらりと指先で流れたその感触《かんしょく》に、うっとりする。まるで銀砂糖の糸のようだ。ただの髪の毛なのに、これほどまでにアンを魅了《みりょう》する。

そこでアンは、はっとした。

「あ……！　シャル！　そうだ、シャル！」

声をあげたアンに、シャルは訝《いぶか》しげに首を傾《かし》げる。

「なんだ」

「わかったの！　彼らができるものを、見せるしかないってこと」

霧《きり》が晴れたように、呼吸が楽になる。アンたちはホリーリーフ城にやってくる頑固《がんこ》な職人たちに、見せるべきものを持っている。

――そうだ。あるがままで、美しい。

キャットとキースが、アンの考えに賛同してくれさえすればこれから十日間、アンたちは妖《よう》精《せい》たちと一緒に迷いなく仕事に向き合える。

砂糖林檎の花の香りに包まれながら、アンは浮《う》き立つ気持ちを抑《おさ》えられなくなる。

「おまえはいつも、砂糖菓子《がし》ばかりだな」

アンの表情を見て、シャルが呆《あき》れたような安心したような顔でくすっと笑う。


砂糖林檎の花の中で、アンがなにを思いついたのかはわからなかった。

しかし翌日、アンがキャットとキースと額をつき合わせて、長い時間相談をしているのは目にした。そしてそれから、その三人の動きや指示に迷いがなくなった。

彼らは銀砂糖妖精候補たちに、銀砂糖を練ること、銀砂糖の糸を紡ぐこと。この二つの技術の習得に集中するようにと指示を出した。

妖精たちも、人間たちの変化に気がついたのだろう。作業に集中する表情に、不安はなかった。

ミスリル・リッド・ポッドは、修業《しゅぎょう》をする妖精たちと一緒に毎日作業場へ行く。彼は冷水を妖精たちの手元に運び、銀砂糖を運び、散らばった道具類の位置を直す。

どうしてわかるのか、微妙《びみょう》に冷水がぬるくなったと感じれば、周りの連中に手伝わせて新しく冷たい水を井戸《いど》からくみあげてくる。

七日ごとに増える仲間は十六人になった。今、妖精市場からホリーリーフ城に来ている妖精たちの中からも、数人は選ばれるはずだ。

少しずつ増えていく妖精たちは、とりわけ屈強《くっきょう》でもなく、個々人が持つ特殊《とくしゅ》能力も、並外れて役立つものではない。

だがラファルの下に集められていた戦士妖精たちよりも、頼《たの》もしく思えるのが不思議だった。彼らは、しっかりと地面に根を下ろしているからだろう。これからの未来を予感させるからかもしれない。

作業場からときおりあがる笑い声を心地よく聞きながら、シャルは右翼《うよく》の二階の廊下《ろうか》にいた。窓を開け、窓枠《まどわく》に腰《こし》かけ片足を乗せていた。

つい数日前までまっすぐに降っていた真夏の日射《ひざ》しが、多少やわらいでいる。そして風は、格段に心地よい。ハイランドの北部ギルム州の北辺では、もう秋の気配が強いのだろう。北から吹く風は、その土地の初秋の空気を運んでいる。

「ギルム州……」

風の薫《かお》りに、逃《に》げ去った兄弟石たちのことを思い出した。彼らがギルム州で目撃《もくげき》されたと聞いてから、はや一月以上。彼らは今どこで、なにをしているのだろうか。

「シャル・フェン・シャル」

物思いに沈《しず》んでいると、声をかけられた。休憩《きゅうけい》の時間なのか、アレルが小ホールの方からこちらにやって来た。シャルの側に来ると立ち止まり、なにか話しかけたそうにするのだが、気《き》後《おく》れしているのかまごついたように押し黙《だま》る。

「楽しいか？」

なんとなく訊《き》くと、アレルは明るい笑顔《えがお》で答えた。

「ああ、楽しいぜ！」

楽しいの言葉を聞くと、口元が緩《ゆる》む。

「なによりだ」

「感謝してるぜ。シャル・フェン・シャル……」

そこで再び迷うように口をつぐんだが、決意の表情で再び口を開く。

「おまえ何者だ？　俺たちはおまえが、どこか違うと思ってる。ここに残ったみんながおまえのことをそう言ってる」

「ミスリル・リッド・ポッドには言われたことがない」

「あ～、あいつは。近すぎるからわかんねえんだろう。明るい光の輪の中にいたら、目が慣れちまってその場所がほかよりも明るいことに気がつかない。でも俺たちは、光を外側から見てる。前回選ばれてここに残った奴《やつ》が、おまえのことを見て気がついたんだ。そいつは聖ルイストンベル教会で一時期使役《しえき》されていて、そこの聖堂の天井画《てんじょうが》をよく見ていたんだとよ。そいつが言ったんだ。おまえは妖精王……」

「アレル」

最後の言葉にかぶせるように呼んで、シャルは立ちあがった。

「俺はアン・ハルフォードという銀砂糖師の護衛だ。必要ならば、仲間のためにも剣《けん》をふるう。だがそれだけの者だ」

「けどよ、俺たちを守り導くのは」

「導かれる必要はない。おまえたちは一人一人、自ら選ぶ道を歩んでいる。導く者は不要だ」

言葉の意味をゆっくりと心に納めるように、アレルは微笑《びしょう》した。

「ああ。そうか。俺たちは本当に自由だって事だな」

「望めば、恋《こい》した女を、探しに行くこともできる」

アレルは苦笑《くしょう》した。

「そうだな。俺は職人になって人間たちの中に居場所を見つけて、追われなくなって。そうしたらファレルを探しに行く。でも、おまえは？」

逆に問われ、シャルは眉《まゆ》をひそめる。

「俺が？　なんだ？」

「おまえも自由になればいいんじゃないのか？　おまえはすこし窮屈《きゅうくつ》そうだ。おまえは、好きな女を探しに行ってもいいんじゃないか？　どこかにいるんだろう」

「探す必要はない。すぐ側にいる」

「にしては、窮屈そうだけどな」

アレルは首を傾げたが、はっとしたように窓から庭へ目をやった。

「お、まずいな。作業が始まるのか？　みんな中に入ってる」

そうして慌《あわ》てて自分の部屋に向かうと、忘れ物だったらしいはずみ車を手にして、再び出てきた。作業場へ向けて駆《か》け戻《もど》ろうとしながら、シャルの傍《かたわ》らをすり抜《ぬ》けるときにアレルが囁《ささや》いた。

「でも、俺たちのことは見守っていてくれ」

走り去る後ろ姿を見送って、シャルは頷《うなず》いた。妖精たちが妖精王が存在して、彼らを守ってくれると感じることで安心できるのならば、見守るくらいはできるだろう。

「窮屈、か」

正直、アレルの観察眼に感心した。窓から外に目をやると、庭で休憩していた妖精たちが作業場へ戻っていくところだった。彼らと一緒《いっしょ》に外の空気を吸っていたらしく、アンが彼らの一番最後から、彼らについていく。シャルの窮屈の原因だ。

まだ誰《だれ》のものでもなく、彼女はいてくれる。だがああやって仕事に一生懸命《いっしょうけんめい》になっていれば、いやでもその傍らにはキースがいることになる。常にともにあり、同じ苦労を分けあう相手に、アンはいつかひかれていくだろうか。

——駄目《だめ》だ。

ふいに自分の中で声が聞こえ、シャル自身がぎょっとする。

今まで、アンとキースが結ばれることが最善の方法だと思っていた。

だが本当にそうなのだろうか。妖精と人間がともに生きていくことは、簡単ではない。しかし妖精たちはそれを知っていながら、今、銀砂糖妖精になるべく修業をしている。困難や理不尽《りふじん》や不幸があることはわかりきっているが、彼らは遠い未来の願いのために恐《おそ》れや迷いを捨てて踏《ふ》み出した。

シャルも、自らの思いや立場を見つめ直す必要があるのだ。そう思った瞬間《しゅんかん》、光の中にいる彼女を見つめながら、ある可能性があることに気がつく。

——不幸を恐れず、ともに生きる……？

すると、アンを手放したくないと強く感じている自分の思いが、胸の中で沸《わ》き立つ。

——手放したくない。手放せない。不幸を恐れずに、あいつを守り抜く。あいつがひとつの不幸を抱《かか》えるなら……、その倍の幸福を与《あた》えられるように。

なぜ今まで、それに気がつかなかったのか。

アンが大切で守りたいと思うばかりに、アンを不幸にすることを恐れた。

だが不幸を恐れず、共に歩むべき道もある。シャルも気づかされたのだ。妖精たちの決断によって。

玄関《げんかん》ポーチに辿《たど》り着くと、彼女はシャルの視線に気がついたらしく顔をあげた。シャルと目が合うと、手を振《ふ》った。

「シャル。ねぇ、ミスリル・リッド・ポッド、そこにいる？」

「いや。一緒に仕事をしていなかったのか」

「休憩のちょっと前までは仕事してたけど、急に姿が見えなくなって……」

アンは心配そうな表情になる。

「探してみる。ありがとう」

アンは城館の中に入った。彼女の不安げな表情に引きずられるように、シャルもまた、ミスリルのことが気になった。

夏の初めから、ミスリルの様子がどこかおかしい。それは今もときおり感じるのだが、なにを訊いても彼は馬鹿《ばか》な話題を持ち出してきてははぐらかす。それが苛立《いらだ》たしい。

「あ、ミスリル」

作業場に戻っても、やはりミスリルはいなかった。そこでアンはキースに許しを得て、少しの時間だけミスリルを探して城館の中と周囲を歩き回った。

今日こそは、ミスリルを問いただそうと決めていた。

城館の裏手に回りこむと、城館の壁《かべ》にはびこっている蔓《つる》の隙間《すきま》にミスリルが入り込んでいた。まるで葉っぱの隠《かく》れ家《が》だ。涼《すず》んでいるのか、ミスリルはぼんやりしている。

「ミスリル・リッド・ポッド」

呼ぶのだが、彼はぼんやりしたままだ。

「どうしたの」

葉っぱをかき分けて覗《のぞ》きこむと、ようやくミスリルが目をしばたたく。

「アン。なんだ？ おまえ仕事怠《なま》けてるのか？」

「失礼ね。あなたを探しに来たんじゃない」

「俺様を？ ははぁ、なんだ。俺様がいないと寂《さび》しい上に、仕事の効率が悪いからだな」

自慢《じまん》げにふふっと笑い立ちあがると、ミスリルはぴょんとアンの肩《かた》に飛び移った。

アンは違和感《いわかん》を感じて、肩の上にいるミスリルに目を向けた。

「軽くなった？……よね。それに夏の初めから、ずっと様子がおかしい。ねぇ、どうしたのか教えてくれない？」

「ダイエット中だからな」

「そうなの？　本当に？　嘘《うそ》ついてない？」

「疑《うたぐ》り深いなぁ、アン。俺様は期待の星だからな。よりスマートに、より俊敏《しゅんびん》になって、おまえたちを助けてやらないと。しかもだ、俺様の未来には大事な仕事が待っている」

大げさな物言いがおかしくて、いつもの彼らしい態度に少しほっとする。こうやって元気なミスリルを目の前にすると、自分の心配が取り越《こ》し苦労《ぐろう》な気がした。

アンは笑いながら歩き出した。

「なに？　それ」

「いや〜。キースの奴に、俺様は色の妖精《ようせい》に向いているから、仕事が落ち着いたら、色の妖精になるためにいろいろやってみないかと誘《さそ》われちまってなぁ。これだから俺様みたいに有能だと、参るんだよなぁ」

「色の妖精⁉」

確かに、職人たちを手助けするミスリルの動きは、無駄《むだ》がなく的確だ。銀砂糖の状態を見て、次に必要なものがわかるようなのだ。砂糖林檎《りんご》の木の状態を見ながら、色水を与えて管理する仕事は、ミスリルにはぴったりかもしれない。

「すごいじゃない！　それ、いいね。うん。やろうよ」

「それで俺様は色の妖精になってだな。アンとシャル・フェン・シャルと一緒に、砂糖林檎の林の近くに家を建ててそこに住むんだ。俺様が色を作った砂糖林檎で、アンが銀砂糖を精製して砂糖菓子《がし》を作るんだ。シャル・フェン・シャルは、まあ、雑用だ。あんまり役には立たないかもしれないけど、アンの恋《こい》が成就《じょうじゅ》していれば、あいつも除外するわけにはいかないから。お情けだ」

「素敵《すてき》よね、そんなことできたら。でも、シャルは無理かな。シャルは……わたしなんかの側にいていい存在じゃないよ。たぶん」

「なに弱気になってる！」

ミスリルがつんと、アンの頬《ほお》をつついた。

「あいつがどんな存在かなんて、知った事かよ。そんなこと考えるな！」

「そうしたいけど」

苦笑《くしょう》しながら左翼《さよく》にある作業場に向かった。

作業場に入ると、甘い香《かお》りの中で妖精たちが銀砂糖を練り、はずみ車を手にしている。その中をキャットが、声をかけながら移動している。

子爵《ししゃく》の城から手伝いに来ている男の一人が、妖精たちに一人一人声をかけてなにかメモをとっている。彼らの寝食《しんしょく》に必要な備品を揃《そろ》えるのに、聞き取りをしているらしい。

キースは右翼《うよく》の方で、妖精市場から来ている妖精たちの技量を見る仕事の最中のはずだ。妖精と人間が、違和感なく同じ場所にいる。

――ハイランドのすべての場所で、こんなふうになってくれたらいい。

アンは腕《うで》まくりして、

「ねぇ、色をつけよう。ノア、アレル。来て！」

迷いを振り払《はら》うように、笑顔《えがお》で作業場に踏みこんだ。


夏の終わり。風が涼しくなったと感じると、秋の気配は一気に北からやってくる。驚《おどろ》くほどの逃《に》げ足の速さで、夏は過ぎていく。朝夕、毛布をかぶっていなければ寒くて目覚める。

作業場の環境《かんきょう》もぐんと良くなる。

二日前に妖精市場に妖精たちを帰して、本来なら次の妖精たちがやってくるところだった。しかし三日後には派閥《はばつ》の職人たちが見学にくるというので、彼らの訪問が終わるまでは新たに妖精を連れてくるのは中断された。

ホリーリーフ城にいる選ばれた妖精たちの数は、つい二日前に新たに選ばれた三人を含《ふく》めて十九人。工房《こうぼう》としては、中規模といえるまでに膨《ふく》れあがっていた。

妖精たちは落ち着いていた。彼らのやるべき事は単純で、しかも、それに絶対の自信があるのだ。

そしてその日はやって来た。

その日、アンたちが朝食を終えてしばらくすると、マーキュリー工房派とラドクリフ工房派の職人たちが、それぞれに大型馬車や小型馬車に分乗してぞろぞろとホリーリーフ城の庭に集まってきた。アンとキース、キャットと妖精たちは、その様子を作業場の窓からのぞき見していた。

「わぁ、いっぱいいるね」

ノアが目を丸くした。

「俺たちの数より、多いんじゃないか？　入りきれるのか？」

呆《あき》れたようにアレルが言うと、どっと笑い声があがる。

集まった職人の中には、見覚えのある顔も多い。

マーキュリー工房派の長《おさ》代理、ジョン・キレーンと職人頭のグラント。キレーンは神経質そうに、片眼鏡をしきりに拭《ぬぐ》っている。そして配下の職人たちに目配せして、時折声をかけている。

さらにラドクリフ工房派の長、マーカス・ラドクリフ。その職人頭。

銀砂糖妖精の最後の弟子《でし》、ステラ・ノックスの顔もある。ステラは相変わらず体調が良くないのだろう。怠《だる》そうに馬車の荷台にもたれて、目を閉じている。そういえばステラは、砂糖菓子品評会の前後でいつも体調を崩《くず》すと言っていた。あと一ヶ月半ばかりで砂糖菓子品評会なのだから、そろそろ体調に異変を来《きた》しているかもしれない。

三々五々ぞろぞろと群れている職人の中には、ジョナスの姿もあった。

「あ。ジョナス」

ガラス窓に額をつけて、身を乗り出した。彼の持ち前のすねた雰囲気《ふんいき》がやわらいだ気がして、ちょっとほっとする。彼も立派に修業《しゅぎょう》を続けているのだろう。

ヒューからは、妖精たちの技量を見せろと命じられている。アンは背後に立つキースとキャットの方を振《ふ》り向く。目が合うと、彼らも頷《うなず》いてくれた。

職人たちが集まりきったのを見計らったように、銀砂糖子爵の馬車がホリーリーフ城の庭にあがってきた。馬車は玄関《げんかん》近くに停車し、銀砂糖子爵の略式礼装を身につけたヒューが職人たちの前に降り立った。彼の登場に、庭に群れていた職人たちが私語をやめて、彼に注目した。

「希望者は全員来てかまわんとは言ったが、多いな」

苦笑しながら、ヒューが口を開く。

「しかし、まあ。その目で見て判断するのは悪いことじゃない。別になにをどう見ろとは言わない。好き勝手に、自由に見ろ。彼らは彼らの修業をしているだけだからな」

適当すぎるヒューの案内に、アンは思わず呟《つぶや》く。

「ヒューが、説明したり擁護《ようご》してくれたりするんじゃないのね」

「まあ、子爵らしいけど」

少し呆れたようなキースとは反対に、キャットは首を振る。

「あのボケなすが必死で擁護したり説明してみろ。胡散臭《うさんくさ》くなる一方じゃねぇかよ。判断としては間違《まちが》ってねぇ。要するに、俺たちが見せるもの見せりゃいいって話だ」

その言葉に、妖精たちが頷く。

「じゃ、続きをはじめようか」

アンが言うと、妖精たちは慣れた様子で銀砂糖の樽《たる》に近づいていく。

それと同時にヒューを先頭にして、職人たちが城館へ向かって歩き出した。

七章　さざ波の歌

職人たちが城館内部に入ってくる。足音と、咳払《せきばら》い。衣擦《きぬず》れ。そんな気配が作業場に近づいてくるが、アンは落ち着いていたし、妖精《ようせい》たちも特に気にならない様子だった。

いつものように明るい表情で、彼らは樽から銀砂糖をくみあげると、それを作業台に持って行く。

「おい、冷水の樽。どこだ？」

アレルが大声で訊《き》くと、作業場の反対方向からノアが顔をあげた。

「こっちに二つあるよ」

「こっちにはないんだぜ」

するとミスリル・リッド・ポッドが、ぴょんと作業台の上に飛び乗ってくるくると周囲を見回した。

「でもあっちにも二つ、冷水の樽は必要だからな。もう一つ、冷水の樽を作った方がいいんじゃないか？　おい、リシス、シューレ。冷水を汲《く》むの手伝ってくれよ」

作業台から、空の樽に飛び移って手を振るミスリルに、妖精が二人駆《か》け寄る。

ヒューを先頭に作業場に踏《ふ》みこんだ職人たちは、てきぱきと仕事を始めている妖精たちを意外そうに見回していた。

ヒューがにやりとして、壁際《かべぎわ》による。

「さあ、自由に見て回れ」

そういわれた職人たちは、しかしヒューと同じように壁際になんとなく追い立てられるように寄り集まっていた。

当然だ。砂糖菓子《がし》の製作作業をしている工房内をうろうろしていては、作業動線を妨《さまた》げてしまう。彼らは職人だからこそ、妖精たちの動きの妨げにならないように、自然と反応するのだろう。

しかしその反応に、アンは嬉《うれ》しくなる。

——ここは、立派な工房だ。

こうやって色眼鏡をかけてやって来た職人たちが、妖精たちの動きを邪魔《じゃま》しないように自然に動いた。妖精たちの動きが、職人の動きだからだ。

ジョナスは、職人たちの群れの一番端《はじ》っこに立っていた。妖精たちの動きを、驚いたように見ている。アンは早足で近づいて、目を丸くして作業を見ている彼の肩《かた》をとんと叩《たた》いた。

「ジョナス。お久しぶり」

びっくりしたように振り返ったジョナスは、アンの顔を見ると嫌《いや》そうな顔をした。

「また君、おかしなことに首を突《つ》っこんでいるんだね。呆れるよ」

「相変わらず……失礼よね」

「僕は君みたいにバタバタしたりせずに、落ち着いて修業してるよ。ちゃんとはずみ車も使えるようになったしね」

つんとして言われたが、荒《すさ》んだ感じや悪意はない。それだけで彼が、地道に真面目《まじめ》に努力していることがうかがわれる。それが嬉しかった。

「そっか。うん。よかった」

アンが微笑《ほほえ》むと、ジョナスは困ったような顔をする。

「なんだよ。にやにやして」

「嬉しいから」

告げるとジョナスは少し頰《ほお》を赤らめ、ぷいと目をそらした。

「さぼってないで、仕事したら？」

「うん」

アンは苦笑《くしょう》して、作業に戻《もど》る。

ノアや、アレルたちは、銀砂糖を練りはじめていた。銀砂糖に冷水を加え、適度な力で何度か手を返す。みるみる艶《つや》を増してくる銀砂糖を作業台の上に移し、さらに練る。

妖精たちが作業を始めたと確認《かくにん》できると、アンとキース、キャットは、それぞれに色粉の瓶《びん》と青系統。

を二つ手にとった。アンが赤系統と黄系統の色。キースは青系統と赤系統。キャットは黄系統

「自分の中心の色は、忘れてねぇか」

作業場に散ろうとしていたアンとキースに向かって、キャットが確認する。

「はい。わたしは、赤で」

「僕は青です」

返事を聞くと、キャットは自分の右手にある黄の色粉の瓶を握《にぎ》りなおす。

「俺は、こいつだ。お互《たが》いの色味を、よく見ろ」

「色の境界は慎重《しんちょう》にします」

アンの言葉に同意するように、キースも頷く。

「行こう。妖精たちの作業は、早いよ」

キースに促《うなが》され、アンとキャットも作業場に散った。

妖精たちが銀砂糖を樽からくみあげ練りはじめると、アンはそこへ向かった。

「色をつけるね」

告げると妖精が、練りの手を止めてくれる。そこへ赤の色粉を適量ふり入れる。そして再び

妖精が練りを開始すると、真っ白い銀砂糖が赤く染まっていく。

「いい色ね。大丈夫《だいじょうぶ》。続けて」

アンは別の作業台で練りをはじめた妖精の下へ行くと、同じように練りの手を止めてもらった。そこへ赤と、わずかに黄の色粉を混ぜる。それから練りを続けてもらう。

ミツバチが蜜《みつ》を求めて花から花へ移動するように、アンとキース、キャットは、作業場の中をくるくると回っては銀砂糖に色をつけはじめていた。

アンたち三人は視線を交《か》わしあって、それぞれ二色の色粉の分量を微妙《びみょう》に調整する。

「あんたたち、どうやって色を決めるんだ」

アンが色粉の瓶を持って近寄ると、ある妖精が呆《あき》れたような感心したような顔で訊く。

「どうやって、って。自分で、色味を見るの」

「他《ほか》の二人とも、あんたたち色を調整し合っているだろう」

「お互いの色を見て、自分の色を調整するの。これは、なんていうか。勘《かん》と経験」

しかし。その勘と経験によって、誰《だれ》もがこの作業をできるわけではない。

ここにいるのが、キースとキャットだからだ。彼らは一流の職人で、彼らの色の調整は、とても駆け出しの職人には真似《まね》できない。順序よく、一定の色の変化を保つ。それは単純でありながら、困難なことだった。

それを難なくこなしている。アンも色味に集中する。自分の色味が狂《くる》えば、アンの色味も考《こう》慮《りょ》している他の二人の作業にも、狂いが出る。

――銀砂糖を練る作業も、それを形にする作業もない。

今回それらは、妖精たちのためにある仕事だ。アンたちはそれを最大限に助けるために、色を作る作業に徹《てっ》している。しかしこれにより、職人たちに見せるべきものの印象が、がらりと変わるはず。

――この色彩調整《しきさい》が、鍵《かぎ》だ。

三人は互いに、それぞれの色味を確認しながら自分の色を作っていく。他の二人が作る色を確認し、頷《うなず》く。

その様子を、ヒューは面白《おもしろ》そうに眺《なが》めている。お手並み拝見と言いたそうな表情だ。

妖精たちは三人が色をつけた銀砂糖に冷水を加え、とりどりの色彩と濃淡《のうたん》の銀砂糖を練り続ける。

「練りが早いですね」

マーキュリー工房《こうぼう》の職人頭のグラントが、となりに立つキレーンに囁《ささや》いているのが聞こえた。

「まあ、予想はしていたがね」

キレーンはふっと笑って眼鏡を光らせた。

ステラは大儀《たいぎ》そうに壁《かべ》によりかかって、当然あるべきものを見るように、つまらなそうにしている。

マーカス・ラドクリフは腕《うで》組みして、眉根《まゆね》を寄せてじっと妖精たちの動きを目で追っている。

その他大勢の職人連中も大概《たいがい》はマーカスと同じく、ただただ、妖精たちの動きを目で追うばかりだ。ジョナスだけが、焦《じ》れたような表情で何度か唇《くちびる》を噛《か》んでいる。

しばらくすると、マーカスがふんと鼻を鳴らした。

「かなりよく仕込んではあるが、銀砂糖の練りならば……」

と、言いかけた時、練りが終わった妖精《ようせい》たちは、はずみ車を取り出した。

マーカスが、ぎょっとしたように目を見開く。

見学の職人たちがざわつくのがわかった。

「あれをやるのか？」

「まさか」

と囁く声を知らぬげに、最初にノアが、銀砂糖を長く伸《の》ばしては折り曲げる独特の練りをはじめる。彼が手にしている銀砂糖は、彼の髪《かみ》と同じ薄紫《うすむらさき》の色をつけてある。

何度も伸ばし、ふたつに束ね、また伸ばす。それを繰《く》り返すと、絹糸を束ねたような細かな筋が銀砂糖の表面に現れてくる。

ノアは作業台に置かれている、砂糖林檎《りんご》の種からとった油に指を浸《ひた》した。それから銀砂糖の端《はし》からちょいちょいと、こよりをよるように一筋の銀砂糖を引きだして、はずみ車に巻きつけた。そして、軽くはずみ車を回転させる。

くるくると、はずみ車がまわる。

するすると、ノアの指先から薄紫の銀砂糖が糸になって流れ、はずみ車に巻きついていく。

それを目にした職人たちの間から、ひそやかな歓声《かんせい》があがる。

と、それに対抗《たいこう》するように、アレルもまたはずみ車を手にした。彼が練り上げていたのは、彼の髪の色に似た藍色《あいいろ》の銀砂糖。はずみ車に銀砂糖からよりだした先端《せんたん》を巻きつけると、彼もまたはずみ車を回す。

あちこちで、妖精たちははずみ車を手にしていた。十九人の妖精のうち、半数がはずみ車を扱《あつか》えるようになっているのだ。

作業場のあちこちで、するすると銀砂糖の糸が生まれている。妖精たちの手つきは無理がなく、彼らの冷たい手がこの仕事をするためにあるのだと思える。

「アン。できたよ」

薄紫の銀砂糖の糸を巻き取ったはずみ車を手に、ノアがアンに駆《か》け寄ってきた。

「ありがとう。また別の色を紡《つむ》いで」

ノアからはずみ車を手渡《てわた》されると、アンは三日前に選ばれたばかりの妖精たちに目配せした。彼らはまだ銀砂糖の練りもはずみ車の扱いにも、熟練していない。だが銀砂糖の扱いに関しては、本能的な勘のよさがある。それを使ってもらわない手はない。

目配せに応じて、三人の妖精たちがやってくる。アンは彼らとともにはずみ車を手に作業場を出た。

アンと三人の妖精の動きに、ちらりと目をやった職人も少なくはないが、誰もが妖精たちの手元にひきつけられていた。

——あの技術を目《ま》の当たりにして、驚《おどろ》かないわけはない。

彼らを指導したアンたちですら、妖精たちの飲み込みの早さに驚愕《きょうがく》したのだ。まさか半数の妖精たちが、この短期間ではずみ車を使えるまでに熟練するとは思ってもみなかったのだ。

アンはノアの紡いだ銀砂糖の糸を手に、玄関《げんかん》ホールに出た。そして二階小ホールのてすりを見あげる。手すりと平行に、白木の細い棒が固定されている。

ゆるくカーブした階段を上がると、アンは三人の妖精にはずみ車を手渡した。

「昨日お願いしたこと、やってもらえる？」

「銀砂糖を練ったり紡いだりは慣れてないけど。これなら、楽勝ですから」

はずみ車を受け取った妖精が笑った。その笑顔《えがお》に、アンは頼《たの》もしさを感じた。

「その楽勝が、人間には難しいの。よっぽど熟練しないと。でもあなたたちはすぐにできちゃうから、うらやましい」

アンは心の底から言うと、妖精たちに後を任せて作業場に戻《もど》ろうとしたが、ふと足を止めた。右翼《うよく》へ続く廊下《ろうか》の方から、シャルがやってくるのが見えたのだ。

シャルは特に急ぐこともなくアンに近づいてくると、ちらりと妖精たちに目をやり、彼らの手にしているはずみ車を見た。

「順調か？」

「うん。たぶん。見ていて、シャル。ここから」

「なにを職人たちに見せるつもりだ？」

「できるものを、見せるの。だから見守っていて」

「ああ」

妖精たちの王は、いつもどおり素《そ》っ気ない態度で腕組みし、近くの壁によりかかる。

職人たちに見せたいものは、シャルにも見せたいものだった。妖精たちがどれほど前を向いているか、それを感じてもらえたらシャルは喜んでくれるはずだ。

「見ていて」

アンは階段を駆《か》け下りて作業場に戻った。

──もっと、色を作らないと。もっと、もっと、作らないと。

作業場に踏《ふ》みこむと、ちょうどヒューが、横目で職人たちを見やりながら声をかけていた。

「どうした。邪魔《じゃま》にならないように、彼らの仕事ぶりを近くで確認《かくにん》してもいいんだぞ」

職人たちは顔を見合わせて、どうしようかと迷うそぶりをする。

しかしジョナスが、ふらりとひきつけられるように一番近くにいた妖精に近寄っていく。ジョナスは妖精の手元を見つめて、呟《つぶや》いた。

「糸を繰り出す指が……」

そう言って、妖精の顔を見る。

「力を入れてないのかい？」

「ああ。指は添《そ》えてるだけで。はずみ車の重さと回転で、自然と糸は出て行く」

「でもそれじゃ太さにばらつきが出るじゃないか。君のはばらつきがないじゃないか」

言われると妖精は、はてと首を傾《かし》げ自分の指を見る。

「なんでかな？　指と指の隙間《すきま》。そこの間隔《かんかく》だけは変えないようにしてる……気がするな」

「そうか。指で紡ぎ出すんじゃなくて、なんていうか。指の隙間を通すの？」

「ああ、そんなもんだ」

ジョナスはまた黙《だま》って、その指に見入っている。

——ジョナス。

以前の彼とは、やはり違《ちが》う。それがわかって、アンは遠目に彼の背中を見つめていた。

職人たちはジョナスに触発《しょくはつ》されたように、それぞれに作業場の中へ散って、妖精たちの作業を覗《のぞ》きこむ。妖精たちはせかせかと忙《いそが》しいが、職人である彼らは、妖精の動きを邪魔せず器用に立ち回っている。

キャットとキースは、銀砂糖に色を加えて歩きながら、妖精たちの作業の進捗《しんちょく》を見ている。

はずみ車一本分の銀砂糖を紡ぎ出すと、妖精たちはキースか、キャットにそれを持っていく。

すると彼らもアンと同様に、はずみ車を手に玄関ホールへ向かう。

広い作業場にひしめく妖精と職人たちの姿を見つめ、最後まで壁際《かべぎわ》に残っていたのは、ジョン・キレーン。ステラ・ノックス。そしてマーカス・ラドクリフだった。

アンは彼らに近づいて行った。

「キレーンさん、ステラ。お久しぶりです。見なくていいんですか？　近くで」

するとキレーンは片眼鏡の位置を直しながら、きりりとした表情で答えた。

「彼らの実力は承知している」

ステラは壁《かべ》にもたれたまま、怠《だる》そうに答える。

「来たくて来たわけじゃない。マーカスさんに来いって言われたから、来ただけだし。しってるものをわざわざ見物する必要ないよ。めんどくさい」

彼らしい言い分に苦笑《くしょう》すると、今度はマーカスに向き直って頭をさげた。

「ラドクリフさん。ご無沙汰《ぶさた》しています。近くで妖精たちの仕事をご覧になりませんか？」

口をへの字に曲げて、マーカスは不機嫌《ふきげん》そうに答えた。

「あの技術まで仕込んでいるのは感服するがな」

「仕込んでいるんじゃありません。彼らは彼らの意志で技術を習得しようと決めて、努力してます。その証拠《しょうこ》に、彼らの羽は彼らに返してあるんです」

「なんだと!?」

声をあげたマーカスのみならず、キレーンとステラも驚いたように振《ふ》り返った。

「逃《に》げ出しちゃうんじゃない？」

もっともなステラの突《つ》っ込みに、アンは肩《かた》をすくめた。

「逃げ出してないでしょう？　彼らは羽を取り戻して自分の意志で仕事に取りかかれば、羽を握《にぎ》られているよりも何倍も力を発揮する」

「しかしあの技術は、それなりにできるってだけでは意味がない。あの技術は、銀砂糖の糸の細さと均一性がなによりも大事なはずだ」

マーカスの言葉に、アンは頷《うなず》く。

「彼らはきちんと、技術を習得しています。彼らの紡ぐ糸を、見てください」

「はずみ車に巻きついている糸を見たところで、その質は判断できん」

「だから、ご覧に入れます。彼らが、どのくらいの技術を持っているか。どのくらい砂糖菓子《がし》職人として資質があるのか。わかりやすく」

その言葉に、ヒューがどうするつもりだと問いたげな視線を向けてくる。アンは軽く頷いて見せてから、作業場に向かって声をかけた。

「キース。玄関ホールの方は、どう？」

色粉の瓶《びん》を手に歩き回っていたキースが、立ち止まって答える。

「今、ヒングリーさんが行ってる。僕がさっき見に行った感じでは、かなりいいと思うけど」

「じゃ、案内するね」

よろしくと、キースが片手をあげる。

「マーカスさん、玄関ホールでご覧に入れます。来てください」

アンは改めてマーカスに向き直り、さらに作業場に向かって声を張った。

「玄関ホールへ来てください。ご覧に入れたいものがあります」

アンは身を翻《ひるがえ》し、玄関ホールへ向かった。

マーカスをはじめ、キレーンとステラ、さらに他《ほか》の職人たちも続いた。ジョナスも妖精《ようせい》が紡ぐ糸を名残惜《なごりお》しそうに見ながらも、仲間たちを追って来た。

アンが玄関ホールに続く扉《とびら》を開いて出た途端《とたん》に、背後に続くマーカスたちが息を呑《の》んだのがわかった。

それがあることを知っていたアンですら、はっとして立ち止まった。

二階小ホールの手すりから玄関ホールの床面《ゆかめん》へ向けて、さらさらと揺《ゆ》れ光る大きな流れがあった。

淡《あわ》い虹色《にじいろ》の、巨大《きょだい》なカーテン。あるいは極北の夜空に現れるという、オーロラのようだった。

光を透《す》かすカーテンのようにも見えるが、それは、わずかな空気の流れにも揺れ、ぱらぱらとごく細い一本一本の動きを見せる。その動きには、ハープの糸が震《ふる》えるような美しさがある。

銀砂糖の糸が無数に、規則正しく並べられ吊《つる》されているのだ。

色合いは一番左端《ひだりはし》が赤。そこから右へ向かって徐々《じょじょ》にオレンジがかって、そのうちに黄色になる。黄色は右側に行くにつれて緑となり、そのうち青になる。その青も徐々に赤みを増し、紫《むらさき》になり、最後には赤になる。淡い色彩《しきさい》で描《えが》かれる色のグラデーションだ。その色彩変化の見事さは、水に溶《と》ける絵の具のように自然でなめらか。

アンとキース、キャットの三人が作り出した、色彩だ。

一本一本の糸は、単色。しかしその一本ずつの色味が微妙《びみょう》に変化している。並べれば、みごとなグラデーションになる。

光を通し、淡い虹《にじ》の色彩が細かく揺れ、波打つ。

二階小ホールの手すりにつけられた白木の棒。その棒に、妖精たちが紡《つむ》いだ糸をかけ、長く、玄関《げんかん》ホールにまで垂らしただけなのだ。糸は床面につくすれすれで折り返され、再び白木の棒へと続いていく。

細い糸が水の流れのように、幾重《いくえ》にも幾重にも折り重なって揺れている。糸の数は、何千とある。職人たちがやってくるよりもずっと早い時間から、妖精たちは糸を紡いだのだ。

色味の調整だけはアンとキース、キャットでこなした。だが銀砂糖を練り、糸を紡ぐのは妖精たちの仕事だった。そしてこうやって銀砂糖の糸を並べるのも、妖精たちだ。人間ならばうっかりと切ってしまうもろい銀砂糖の糸を、彼らは器用に扱《あつか》い、こうやって並べるのだ。

妖精たちはまだ、作品として形にする技術は持っていない。

しかしこうやって銀砂糖の糸を並べれば、その糸のできのよさは一目瞭然《いちもくりょうぜん》だ。

太さは均等で、なによりも細い。空気の流れに細かく揺れても切れない。強さがある。

これほどの銀砂糖の糸を妖精たちは作り上げる。糸そのものですら、美しいのだ。

——これこそが妖精の技術。妖精が砂糖菓子に必要な証《あかし》。

職人たちが、呆然《ぼうぜん》とそこにある糸の群れを見あげている。

誰《だれ》かが数歩動けば、空気が流れて糸が揺らめき、艶《つや》めく光を見せた。わずかな空気の流れに自在に揺らめく虹のカーテンは、まるで生き物のようで、優雅《ゆうが》な動きで人の目を惹《ひ》きつける。

目線をあげて小ホールを見あげると、シャルが階段近くの壁にもたれている姿が目に入った。

彼は揺らめく銀砂糖の糸を、柔《やわ》らかな表情で見つめている。

——シャル。素敵《すてき》でしょう?

心の中で問いかけると、その声が聞こえたかのように、彼がこちらを見た。アンと目が合うと、満足そうにそっと頷く。

「……妖精の技術か……」

マーカスが唸《うな》るように言った。

ジョナスは目を見開いたまま歩み出てくると、糸を見あげて思わず言う。

「これほどの技術があるなら。彼らが作品を作ったら、どうなるんだろう」

マーカスがはっとしたように、ジョナスに目を向ける。ジョナスは続けて、うっとりしたように呟《つぶや》く。

「見てみたい」

途端に、マーカスの顔が苦しげになる。

「ジョナス」

ジョナスは呼ばれて、やっと自分がマーカスのとなりに立っていることに気がついたらしい。目をしばたたく。

「は、はい。おじさん」

「おまえは、見てみたいと思うか？　妖精の作ったものを」

無表情なマーカスの顔に一瞬《いっしゅん》怯《おび》えたように口をつぐんだジョナスだったが、しばらくすると意を決したらしく目をあげた。

「僕は……見たいです。職人としてそれは。その。興味があるんです。だから見たいです」

「なるほど、好奇心《こうきしん》か」

マーカスは再び、糸のカーテンへ目を向ける。

「確かに好奇心をそそる」

厳しいマーカスの目の中に、なにかしらの決意のようなものが見えた気がした。

作業場と玄関ホールを繫《つな》ぐ扉は開きっぱなしになっていたが、そこにヒューがいた。彼は揺らめく糸を見あげながら、満足そうに目を細めていた。アンは彼に近寄った。

「ヒュー。これしか、見せるものがなかったの。形にはならなかった」

「充分《じゅうぶん》だ」

ヒューは、ぽんとアンの頭を叩《たた》いた。

マーカスが、ヒューの方を振り返る。

「銀砂糖子爵《ししゃく》。ここの妖精たちの派遣《はけん》は、いつからだ」

「砂糖菓子品評会が終わる頃《ころ》には、各工房《こうぼう》の要請《ようせい》に応じられるとは思うが？」

「こちらに派遣してもらえる妖精は、我々が選べるのか？」

「選べねぇな」

マーカスの背後から声がした。答えた声は、キャットだ。彼はちょうど階段を下りてきたところで、つかつかとこちらにやってくる。

「妖精たちは、自分の意志で銀砂糖妖精になる修業《しゅぎょう》をしてるんだ。あいつらは自分がやりたくなけりゃ、やらねぇ。人間の見習いと同じだ。人間の見習いだって、自分で修業する工房を選ぶ。選ぶ権利は、奴《やつ》らにある。ラドクリフ工房に来てくれと、奴らにお願いするこったな。できるだけいい条件を出して」

口《くち》の端《はし》で笑うキャットの不遜《ふそん》な態度に、マーカスは顔をしかめる。

「ヒングリー。相変わらず、口の利《き》き方がなっておらんな」

「あんたこそ、どういう風《ふ》の吹き回しだ。妖精を雇《やと》いたいのか？　最初の時、あんだけ嫌《いや》な顔をしておいて」

「今も、いい顔はしてない」

マーカスはむっつりと答えた。

「だが彼らがすべて他の工房のものになってしまえば、我々の派閥《はばつ》の衰退《すいたい》は目に見えている。ただでさえ、昨年は選品に負けたのにな」

「でも、妖精を雇えばいいってもんじゃないです。彼らの意欲《いよく》がなければ」

アンが口を挟《はさ》むと、マーカスはじろりとアンを睨《にら》みつけた。

「わたしも伊達《だて》に、派閥の長《おさ》をしているわけではない。見習いの意欲が低ければ、育たないことは百も承知だ」

――見習い。

マーカスは今、見習いと言った。妖精《ようせい》ではなく、見習いと。それは彼の無意識の言葉だろうが、無意識が言わせたという事実。

「そうですね。出過ぎたことを言いました」

笑顔《えがお》で謝るアンに、マーカスは不審《ふしん》げな顔をする。

その時だった。

作業場の方から、ふふふっと、嬉《うれ》しくてたまらないようなノアの笑い声が聞こえた。

ノアをはじめ、妖精たちは、はずみ車を手にこちらの様子をのぞき見していた。けれどアンとヒューと目が合うと、慌《あわ》てて持ち場に駆《か》け戻《もど》った。

駆け戻ってきた彼らに、作業場の中にいたキースが注意する。

「仕事中だよ」

だがその声は笑いを含《ふく》んでいた。

妖精たちの、面白《おもしろ》がるような嬉しそうな笑顔はそのままだった。ノアははずみ車を回しながら、再びふふふっと笑う。

はずみ車を回しながら、アレルが器用に、肩先《かたさき》でノアの背をつつく。

「聞こえちまうぜ」

「だって、みんなびっくりしてる。嬉しい。はずみ車だって、笑ってるみたい。しゅるしゅるって、小さな声で笑ってる」

妖精たちははずみ車を回し続けながら、口を閉じ、はずみ車の音に耳を傾《かたむ》けるそぶりをした。

誰かが笑いながら言った。

「ひょうひょう、って感じだな」

「ちがう。しゅるしゅる、ひゅっ。しゅるしゅる、ひゅっ、て感じじゃないか?」

誰かが答えると、ノアが笑顔で首を振《ふ》る。

「ううん。なんか、ヒュルルルルルル。ルルルって聞こえるよ」

そう言いながら、ノアははずみ車をまわし、軽く膝《ひざ》でリズムをとる。

「ヒュルルルルル、ルルル。ヒュルルルル、ルルル」

まるで幼い子供のように節をつけて、繰《く》り返す。

「ルルルルル、ルル。ルルルルルル、ルルル」

その節がはずみ車の動きとピッタリなので、おもしろい。

「続けろ！」

ノアが節をつけるので、その合間にアレルがいたずらっぽく相の手を入れた。調子に乗って、ノアは笑顔ではずみ車を回して口ずさむ。

「ルルルルル、ルルル。ルルルルルル、ルルル」

他《ほか》の妖精たちもノアにつられるように、口ずさみはじめる。自分たちの紡ぐ糸の動きと節を合わせ、面白がっている。

妖精たちは口の中でラララともルルルともつかない、微《かす》かな声を出していた。

互《たが》いに顔を見合わせ、笑いをこらえるようにしながらも、手はなめらかに素早《すばや》く動き、銀砂糖の糸を紡《つむ》ぎ出す。

「休むな！」

別の誰《だれ》かが、相の手の声をかける。

吐息《といき》のような微かな節が、妖精たちの口から紡がれる。その声はまとまり、作業場に響《ひび》く。さざ波のように、妖精たちが口ずさむ単純な節が聞こえてくる。妖精たちの喜びが、静かにアンの足元に打ち寄せてくる。

「鼻歌交じりで、あの作業だからな。妖精の技量は計り知れない」

ヒューの呟きに、アンは、あっと息を呑《の》む。

──歌？　歌だ。

単純な節と相の手の繰り返しだが、これは歌だ。

──アレル。気がついてない？

アレルははずみ車を回しながら、嬉しそうに単純な節を口ずさんでいる。彼は今、自分が口ずさむものが、彼の望んだものだと気がついていないようだ。楽しくて、嬉しくて、そんなことに気がついていない。

仕事をしながら口ずさみ、いつか誰《だれ》かがそれに歌詞を乗せ、節にちょっとした変化をつけ、それが歌になる。

──妖精の歌。

そのことに妖精たちは気がついていない。ただ、嬉しそうにはずみ車を回している。

──シャル！

アンは小ホールにいるシャルを見あげた。

──歌よ。シャル。

彼の耳にも、さざ波のような歌が届いているはずだ。彼は睫《まつげ》を伏《ふ》せ、じっと、その微かな歌に聞き入っているようだった。

――歌だ。

目を閉じ、シャルはそのかすかではあるが楽しげな、単純な歌に耳を澄《す》ましていた。

妖精たちはなにもかもなくした。だが再び、蘇《よみがえ》らせる事ができる。いつか必ず妖精たちは、歌うべき歌を作りあげる。

それは、妖精たちだけで歌う歌ではないだろう。

同じ地上に生きるのだから、妖精は人間とともに生きる道を模索《もさく》しなくてはならない。ともに生きることによって、困難や不幸があっても、それを恐《おそ》れてはならない。

妖精と人間がともに生きようと思えば、困難や不幸は当然だ。だからその不幸を笑えるほどの、幸福があればいい。

『恐れるな。相手に触《ふ》れ、心を確かめろ。恋《こい》しあえる相手があるならば、余計な心配はするな』

六百年も生きた美しい同胞《どうほう》の言葉が、やっと素直《すなお》にシャルの気持ちに馴染《なじ》む。

耳に心地《ここち》よいさざ波のような歌に、背を押される。

――俺も、恐れまい。そうすればなにかが生まれる。こうやって、歌が生まれるように。

瞳《ひとみ》を輝《かがや》かせシャルを見あげている少女に、つきない愛《いと》しさがあふれる。

砂糖菓子しか作れない、ひ弱で単純な馬鹿のくせに、精一杯の力で妖精たちに向き合っている。シャルに対しても、精一杯に向き合っている。

——手放せない。誰にも、渡《わた》せない。

キースは思うままに振る舞《ま》えと言った。ならばシャルはもう、この思いを止めることはできなかった。


マーキュリー工房《こうぼう》派とラドクリフ工房派の職人たちは、夕暮れ近くになってやっとホリーリーフ城を後にした。彼らはほぼ一日、妖精たちの作業に見入っていた。

そしてジョン・キレーンとマーカス・ラドクリフは、働く妖精たちの顔と名前を確認《かくにん》することに躍起《やっき》になっていた。彼らは少しでも資質のある妖精を確保しようと、今から狙《ねら》っているらしい。

けしてマーカス・ラドクリフが、妖精の職人を心から認めたわけではないだろう。だが認められない、許せないと妖精たちを拒否《きょひ》し続けていれば、他の派閥《はばつ》に後《おく》れをとる。他の派閥が妖精たちの仕事によって良い作品を作り出せば、ラドクリフ工房の凋落《ちょうらく》は目に見えている。

結局、実利だ。

だがそれこそが、必要なことだった。

妖精を好きだろうが、嫌《きら》いだろうが、妖精の仕事が必要になる。そうすることで、好悪《こうお》の感情に左右されることなく、妖精の居場所ができる。

ヒューはマーカスとキレーンを、そのままルイストン別邸《べってい》に案内すると言っていた。実はミルズフィールドから、ペイジ工房派の長《おさ》代理エリオット・コリンズもルイストンに呼んであるという。

今夜、銀砂糖子爵《ししゃく》と各派閥《はばつ》の長と長代理たちによる、妖精職人たちに対する扱《あつか》いや、その派遣《けん》などについて話しあいがもたれるらしい。

妖精《ようせい》たちの工房が、やっと軌道《きどう》にのる兆《きざ》しが見えたのだ。

そのことを実感すると、アンは心底ほっとした。

一日の作業を終え、アンは井戸《いど》の水を使って体を洗ってさっぱりした。襟元《えりもと》に質素なレースがあしらわれている、お気に入りの木綿《もめん》の寝間着《ねまき》を身につけ、髪《かみ》を布で拭《ふ》きながら浴室を出た。

気持ちがだいぶん楽だった。

小ホールには蠟燭《ろうそく》がいくつか灯《とも》されたままだったので、手すり越《ご》しに光が広がり、玄関《げんかん》ホールも明るかった。階段を上がろうと足をかけて、小ホールを振り仰《あお》いだ。瞬間《しゅんかん》、びくっとしてしまった。シャルが階段の上にいたのだ。

「なんだ、シャル。脅《おど》かさないで」

「脅かしてない。おまえがぼんやりしていて、勝手に驚《おどろ》いただけだ」

「どうせね〜。でも、いいや。今日は気分がいいもの」

アンは笑顔《えがお》で階段をのぼったが、どうしたわけかシャルが通せんぼするように上がり端《ばな》に立ちふさがったままだ。

「シャル？　このちょっとした意地悪はなに？」

わけがわからず、小首を傾《かし》げる。

小ホールからこぼれ揺《ゆ》れる蠟燭の光に照らされる羽は、薄青《うすあお》い落ち着いた色彩《しきさい》で、先端《せんたん》に行くにつれ透明《とうめい》になる。黒い瞳が、すべてを見透《みす》かしそうなほど深い色でアンを見ている。

——どうしたんだろう。

なにか彼の気に障《さわ》ることでもしただろうかと、あれこれ自分の行動を思い返していると、

「おまえに言うべきことがある」

と、シャルが切り出した。

「へ。あ、なに？　やっぱりわたし、なにかした!?」

問うと、シャルは沈黙《ちんもく》した。

——なに？　よっぽどすごい文句なのかな？

あまりに真剣《しんけん》に見つめられるので妙《みょう》にどきどきしてしまって、自分の心臓の音がうるさい。

これから文句を垂れようというのに、研《と》ぎ澄まされた美しさに変わりはないのだろう。

シャルは黙《だま》ってアンの顔を見つめていたが、しばらくしてようやくさらりと言った。

「おまえが愛しい」

「それ……そんなに改まって言うこと？」

「なに？」

シャルが眉《まゆ》をひそめる。

「そんなに改まって人のことを、かかしって……しみじみ罵倒《ばとう》しなくても」

がっくりと肩《かた》の力が抜《ぬ》ける。さらにシャルの表情が曇《くも》る。困惑《こんわく》したように言う。

「おまえの耳と頭は、どうなってる。俺がなにを言ったと思ってる？　二度も言わせるのか？」

「かかしなんて、何百回と言ってるじゃない」

「誰《だれ》がかかしと言った」

「今、『おまえがかかし』って」

シャルは額を押さえた。そして心底呆《あき》れたように、深い深いため息をつく。

「………………おまえは………………馬鹿すぎる」

さすがにむっとした。

「確かにわたしは、馬鹿だけど！　それをなんのつもりで、こうやってしみじみ……！」

反論していると、全部言う前にいきなり抱《だ》き寄せられた。両腕《りょううで》でしっかりと背中を抱《だ》かれ、頬《ほお》がシャルの上衣《うわぎ》に触れる。肩にかけていた髪を拭く布が、階段のステップに落ちた。

「え……。シャル？」

突然《とつぜん》のことに戸惑《とまど》い、心臓の鼓動《こどう》がさらにうるさくなって耳を塞《ふさ》ぐ。耳元に、シャルの暖かい吐息《といき》が触れる。背を抱く指は冷たいのに、耳に触れる吐息だけは熱いほどだ。

「よく聞け、間抜《まぬ》け。今度こそ聞き間違《まちが》えるな。おまえが愛しい。そう言った」

心臓の音は前よりも倍以上うるさいが、はっきりと聞こえた。

──愛しい？

膝《ひざ》が震《ふる》えた。

「おまえの心が俺にあると言えば、俺はおまえを手放さない。妖精と人間がともに生きるのが不幸だとしても、その不幸を補うほどに幸福をやる。生きる時間が違《ちが》っても、おまえの命があるかぎりおまえを恋人《こいびと》として守り通す。おまえが生きた証《あかし》として子孫を残せないなら、そのかわりになる証をおまえが残せるように、おまえの望みのために俺は力を尽《つ》くす」

囁《ささや》かれる言葉の意味は理解できたが、まるで現実味がなかった。

──あり得ない。こんなこと、シャルがわたしに言ってくれるはずない。

そう思うのだが、囁かれる言葉は胸に染《し》みこみ、嬉《うれ》しくて、意味もなく涙《なみだ》がこみあげてくる。

──どうすればいいの？　どうすれば？

様々な思いが頭の中を巡《めぐ》る。

シャルの妖精王たる立場。そして何百年も生きる彼よりもずっとはやくに、アンは年老いて

死んでしまうこと。リズのようにシャルを残して、死んでしまうこと。

——シャルを不幸にするかもしれない、シャルを束縛《そくばく》するかもしれない。

不幸な未来だけが、数多く頭を廻《めぐ》っていく。

「答えろ。アン」

シャルは片腕《かたうで》でアンの背を抱いたまま少しだけ体を離《はな》し、アンの瞳《ひとみ》を覗《のぞ》きこむ。綺麗《きれい》な細い指でアンの顎《あご》を軽く上向かせ、答えを促《うなが》す。

そうされると、頭の中にある不安や理性を無視して、好きだと心が口走ってしまいそうだ。

「わたし……」

口を開くが声が震えた。言葉を発したこの瞬間でさえ、自分がどう答えるべきかわからない。

秋の気配を乗せた夜風が、窓の隙間《すきま》から吹《ふ》きこんでアンの首筋を撫《な》でる。

蠟燭の炎《ほのお》が揺らめく。

「わたし……」

「ミスリル・リッド・ポッド!?」

答えようとした瞬間、悲鳴のようなキースの声が響《ひび》き渡《わた》った。

アンはぎょっとして、声のした二階右翼《うよく》の方へ目を向けた。シャルも眉をひそめ、そちらを見た。

「シャル！　アン！」

切迫《せっぱく》した声とともに、キースのものらしい足音が駆《か》けてくる。右翼二階の廊下《ろうか》から小ホールに飛び出てきたキースは、就寝《しゅうしん》の準備中だったらしく、シャツ一枚の姿だ。彼は息を切らして小ホールを見回し、階段の上がり端にいるアンとシャルの姿に目を見開く。

その驚愕《きょうがく》の表情で、アンは自分とシャルの距離《きょり》が近すぎるのに気がついた。シャルはアンの背《せ》から手を離した。

「何事だ」

呆然《ぼうぜん》と二人を見つめていたキースは、シャルに問われて、はっとしたらしい。急《せ》き込んで告げる。

「ミスリル・リッド・ポッドの様子がおかしいんだ。二人とも、来て！」

──ミスリルが!?

シャルがキースの脇《わき》をすり抜けて駆けていく。アンも彼の後を追って、小ホールから廊下へ出る。そのとなりにキースが並ぶ。

「キース。ミスリルの様子が変って!?」

走りながらキースは答える。

「ヒングリーさんたちと一緒《いっしょ》に、彼、カードゲームをしていたんだ。そしたら、急に……」

そこで言葉を切り、キースは突然小さな声で続けた。

「アン。今の、シャルと君は……」

「え?」

良く聞き取れなかったので問い返すと、キースは頭を振《ふ》る。

「いや、なんでもない。急ごう」

息を切らしながら長い廊下を駆け抜けて、自分たちに割り当てられた部屋に駆け込んだ。

二段ベッドが並ぶ部屋の中央に、シャルが跪《ひざまず》いている。その傍《かたわ》らにはキャットが厳しい顔で立っていた。傍らにあるテーブルの上には、ゲーム用のカードが散らばっており、その中央にベンジャミンが座っている。ベンジャミンは哀《かな》しげな表情でシャルの手元を覗きこんでいる。

「シャル!? ミスリル・リッド・ポッドは……」

シャルの両 掌《てのひら》の上に、ミスリルはいた。けれどくたりと横たわっており、意識がない。羽はだらりとシャルの指の間に垂れ下がり、色味がない。

「軽い」

シャルが呻《うめ》く。

するとベンジャミンが項垂《うなだ》れ、落胆《らくたん》したような、悟《さと》ったような声で静かに呟《つぶや》く。

「寿命《じゅみょう》かもしれないもん……」

その小さな声に、アンは強く突《つ》き飛ばされたような感覚がした。

――寿命!?

一瞬《いっしゅん》目の前が真っ暗になり、その暗闇《くらやみ》に、動かなくなったエマがベッドに横たわっている姿が蘇《よみがえ》る。

「アン！」

よろけてしまったらしく、キースが肩を支えてくれる。しかし支えられた直後、わけもなくもがきたいような衝動《しょうどう》がつきあがる。

──いや、いやだ！　寿命なんて、いやだ！

アンはしゃにむにキースの腕《うで》を押しのけて、シャルの傍らに膝をついた。

「ミスリル・リッド・ポッド！」

悲鳴のようなアンの声に、ミスリルの力ない指先がぴくりと動く。それから瞼《まぶた》がぴくぴくすると、ぽかりと目を開けた。

「……ああ。アン？」

ほっとすると同時に、目頭《めがしら》が熱くなり視界が滲《にじ》む。

「ミスリル・リッド・ポッド。あなたが倒《たお》れちゃうなんて……」

「倒れた？　あ、ああ。そっか……」

いつものようにミスリルは、なんてことないような顔をして体を起こそうとするが、腕に力が入らないのか体がわずかにもちあがっただけだ。それでも無理矢理《むりやり》の笑顔《えがお》を作る。

「やあやあ、みんな。心配かけちまったな。俺様も今日は、はりきって仕事をしたから、さすがの俺様も」

「嘘《うそ》をつくな！」

突然、シャルが怒鳴《どな》りつけた。

ミスリルが目をまん丸にしてシャルを見あげる。シャルは怒《いか》りを抑《おさ》えきれないような目で、ミスリルを見据《みす》える。

「嘘をつくな。ミスリル・リッド・ポッド。もう誤魔化《ごまか》されない」

ミスリルがしおしおと項垂れ、再びぽてりとシャルの掌に背をつけて横になる。

「……なんでおまえが怒《おこ》るんだよ」

「腹が立つ。おまえが大切なことを隠《かく》しているのが、腹が立つ」

しんと静まった。誰《だれ》もなにも言い出せない。

「俺様、もうすぐだって気がする。たぶん、もうすぐなんだ」

天井《てんじょう》を見ながら、ぽつりとミスリルは告白した。

「砂糖菓子《がし》を作るわ！　待ってて、すぐに。そしたら大丈夫《だいじょうぶ》よ」

アンが声をあげると、ミスリルは苦笑《にがわら》いして顔をあげる。

「ルル・リーフ・リーンが言っていたの忘れたのか？　相変わらずかかし頭だよなぁ、アンは。砂糖菓子で繋《つな》ぐ命は、かりそめなんだ。砂糖菓子を食って一年延びた命が、次に同じ砂糖菓子を食ったら、半年しか延びない。次は三ヶ月。一ヶ月。十日。三日。期限を先延ばしにするだけで、変わらないんだよ」

「そんな……そんなこと、言わないで」

アンは懇願《こんがん》するように言うと、顔を伏《ふ》せた。

いやだいやだ、いやだと、だだっ子のように、胸の中で言葉が渦巻《うずま》く。

ミスリルは再びなんとか体を起こすと、なにか言いたげにシャルを見やる。するとシャルがミスリルの体をアンの肩《かた》の上にそっとおろしてやった。アンの肩に乗ったミスリルは、頰《ほお》に寄り添《そ》うようにして、小さな手でアンの髪《かみ》を撫でる。

「泣くなよ、アン。俺様は……そうやっておまえに泣かれるのが一番嫌《いや》だったから。だから黙《だま》ってたのに」

ミスリルはずいぶん前に、自分の寿命を悟っていたのだ。初夏のあの夜。ルイストンの工房《こうぼう》で、真夜中に一人きり起き出していた頃《ころ》には、わかっていたのだろう。あれから二ヶ月以上ものあいだ、一人でそれを抱《かか》えていた。それもこれもアンを泣かせたくない、という理由だけで。

「俺様は水の妖精《ようせい》だから、いつか突然《とつぜん》、こんな時が来るのは知ってたんだよ」

ミスリルの言葉が、胸に刺《さ》さる。

「だけど……この時が、アンやシャル・フェン・シャルに会えた後で、良かったと思うんだ。だからさ、俺様は……できるだけおまえたちを泣かせたくない」

――いやだ。

怒りにも似た、がんぜない子供のような思いがつきあがる。肩に乗るミスリルを、アンは両手で摑《つか》んで胸に抱《だ》き寄せた。ひんやりする小さな頭と体と、指先に触《ふ》れるわずかに温かな羽。この羽のぬくもりが消えるというのだろうか。

「……いや」

「俺様、人間なんか大嫌《だいきら》いだったけど……今は悪くないと思うんだ。生まれてすぐに人間に捕《つか》まって働かされて、生きてることなんかちっとも面白《おもしろ》くないと思ってたのに、アンと出会ってからは面白かったんだ。シャル・フェン・シャルみたいな奴《やつ》でも、友だちができて嬉《うれ》しかった。アンとシャル・フェン・シャルと三人でいろんなことをして、いろんなものを見て、楽しかった。だから俺様はハイランドで一番幸せな妖精だぞ。一番なんだぞ。すごいだろ」

腕の中で囁《ささや》く細い声が、ミスリルには似合わなかった。

「いや。いや……いや……」

それしか言葉が出ない。

「一番なんだ。だから、すごいんだ。いいだろう？　だから泣くなよ」

──いやだ。絶対に、いやだ！

どうにかして、この腕の中にある命を消したくない。

「いや。絶対に、いや」

「いやでも、仕方ないんだ」

「仕方なくない！」

こらえられなくなり、アンは叫《さけ》んだ。

「なんとかするから！　だから仕方ないとか言わないで！　なんとかするから！」

「どうするんだよ……」

ミスリルが困ったように笑う。

「砂糖菓子が」

「さっき言ったろアン。かかし頭だな」

「じゃあ、もっと別のなにか！」

特に考えがあったわけでもなく、反射的に言葉を返したが、その自分の言葉にはっとする。

——別のなにか？　砂糖菓子とは別のなにかで、妖精の命が……。

ひらめくものがあった。

「ラファルよ！」

アンは声をあげて、シャルを見やった。シャルの姿が、滲んでよく見えない。

「ねぇ、シャル！　ラファルは助かる見こみのない城壁《じょうへき》から落ちたのよね。高い場所から落ちれば、弱い妖精ならその場で体が砕《くだ》け散るって言ってたよね。けど彼は貴石の妖精だから、ちょっと強いよね。だからかろうじて、体の形は残ったかもと考えていいのかな」

「そうだろう。だがその時形は残ったとしても、衝撃《しょうげき》のせいで、一日も経《た》たないうちに体が消える。いくら貴石の妖精でもそうだ」

たのよ」

「けれどラファルは生きてた。眠《ねむ》ってたけど、体の形があった。そのうえ目覚めて、逃《に》げ出し

アンの言葉を聞くうちに、シャルの目には光が宿ってくる。

「体が砕けかけてる妖精が、生き返った。その方法さえわかれば、ミスリル・リッド・ポッドだって、もっと命をつなげられると考えられない!?」

体が消え散るまでの数時間のうちに、あのなにもない荒野《こうや》でラファルは命を繋いだ。最高の砂糖菓子でも、助けることが困難な状態だったはずだ。ということは、砂糖菓子以外のなにかによって、彼は生き延びたのだ。

そのなにかには、おそらく強い力がある。砕け散る直前の妖精が、蘇《よみがえ》るほどの。

「可能性はあるのよ」

アンの言葉に、ミスリルが呟《つぶや》く。

「そんなこと、あるのかな……」

「実際ラファルは、生きてる！　諦《あきら》めないで、ミスリル・リッド・ポッド！」

諦めたくないのは、自分だ。ミスリルが消えてしまうと思うだけで、息が苦しい。

「おまえが諦めるのは、似合わない」

シャルは力ないミスリルの頭を、指先で軽く撫《な》でた。ミスリルはびっくりしたように顔をあげ、シャルを見あげる。

「俺はギルム州へ行く。奴らが、そこへ現れたと聞いている」

シャルが力強く告げた。アンはミスリルを片腕《かたうで》に抱《だ》いたまま、シャルの袖《そで》にすがりついた。

「わたしも、わたしも行きたい！　もしキャットとキースが許可してくれるなら、ミスリル・リッド・ポッドと一緒《いっしょ》に行きたい。砂糖菓子が必要なときに、すぐに作ってあげられるから。でも、ただ。キャットとキースが許可してくれればだけど」

「行って来な」

キャットが軽く言う。

「ここの仕事は、順調だ。この二ヶ月で、段取りにも慣れてきたから問題ねぇ。おまえの抜《ぬ》けた穴は、どうにでもなる」

「行かせたくないな、僕個人としては……」

キースが寂《さび》しそうに笑った。

「けれど君が望むなら、行くべきだよ。僕だってミスリル・リッド・ポッドのことは、どうにかできるものならば、どうにかしたい。君なら、なおさらだろう」

ミスリルに命の期限が迫《せま》っている。

――だけど、まだ運がある。

強くそれを感じて、アンは弱気になる自分の心を奮い立たせた。

妖精たちを集め教育するこの仕事はちょうど軌道《きどう》に乗ったのだ。数日前であれば、アン自身もとうていミスリルとともに行けないと、悩《なや》みあぐねたところだろう。

アンが抜ける穴はけして小さくはないだろうが、それでもいいとキャットとキースは言ってくれている。仲間に恵《めぐ》まれている。

アンが側にいれば、ミスリルの命をかりそめでも延ばすことができる。その間に、なんとかできると信じよう。

――諦めたくない。

シャルもいてくれるのだ。どうにかして、ラファルの行方《ゆくえ》を突《つ》き止め、彼が復活した方法を探《さぐ》り出すのだ。

ミスリルがアンの胸にすり寄り、囁いた。

「ありがとうな、アン。それに……シャル・フェン・シャルもな」

弱々しいミスリルの声に、焦燥感《しょうそうかん》がつのる。

「ミスリル・リッド・ポッド。すぐにわたしは、あなたのために砂糖菓子《がし》を作るから」

その言葉に頷《うなず》くミスリルを見て、ほっとする。ミスリルはまだ、諦めきっているわけではない。だから砂糖菓子も食べてくれるのだ。

砂糖菓子で命を繋《つな》ぎ、ラファルを探し出す。

――諦めない。

アンはシャルと目線を交《か》わした。そうすると、先刻のシャルの言葉が耳に蘇った。

「愛《いと》しい」と。そして「答えろ」と。

わずかに頬が熱くなるのを感じながらも、アンの心は乱れ戸惑《とまど》っていた。

ミスリルのために行動しなくてはならない。

しかしシャルの言葉にも、答えなくてはならない。心のままに答えていいものか。よくよく考えた末の、自分の冷静な判断で答えるべきなのか。わからない。

夏が過ぎ去ろうとしていた。カーテンを開いたままの窓の外には、冴《さ》えた下弦《かげん》の月が輝《かがや》く。

風《ふ》が吹き、ホリーリーフ城を囲む森の木々が葉擦《はず》れの音を立てて騒《さわ》ぐ。

秋が来る。そして砂糖林檎《りんご》の収穫《しゅうかく》時期がやって来る。

あとがき

皆様《みなさま》こんにちは。三川みりです。

銀砂糖妖精《ようせい》編の三冊目です。

今回で銀砂糖妖精編にはいちおうの決着がつき、次巻から、新章突入《とつにゅう》予定。

銀砂糖妖精編　終了《しゅうりょう》と新章突入の準備として、今回もアンはいろいろと苦労しています。さらに新たな心配事なども出てきたかと。

いつも苦労かけてすまないね、アン……という気分でいっぱいです。

アンがなんの苦労もなく、ただただラブラブでハッピーなだけの物語をいつか書いてあげたいものです。

が。しかし！

百年生きて今更初恋《いまさらはつこい》を知った超《ちょう》奥手の人が、今回は少しがんばりました。なので今回のアンは「苦あれば楽あり！」に、……なっていればいいなぁ。悩《なや》みを増やした説も大ありですが。

次巻から始まる新章はおそらく、砂糖林檎《りんご》編となるかと思います。

ところで、この「虹の後継者」と前巻の「灰の狼」の間にあたる時間軸《じく》で、短編を書かせて頂きました。この本が出るちょっと前くらいに「プレミアム・ザ・ビーンズ VOL.2」（二〇一二年七月二十六日発売）というムックが発売され、そこに掲載《けいさい》予定だそうです。

内容は、アンがラブラブハッピーな物語ではないのですが。

アンとシャル、ミスリルはしっかり登場しますし、キースも登場します。キャットとベンジャミンにまつわるエピソードなので、彼らの出会いなどに興味がありましたら、お手にとって頂ければ嬉《うれ》しいです。

お話に興味はなくとも、あき様の描《か》き下ろしのカラーイラストなども、豪華《ごうか》に掲載予定だそうですので！　目の保養になること間違《まちが》いなし。さすがプレミアム。


さて、デビュー前から二年以上もお世話になりました前担当様には、言葉では言い尽《つ》くせないほど感謝しています。出会えたことを、心から感謝です。こうやって形作って頂いたシュガーアップル・フェアリーテイルは、とてもとても大切な物語です。

新担当様。いきなりあれやこれやと面倒《めんどう》をおかけして、申し訳ありません。いろいろお聞き及《およ》びとは思いますが、これからもたくさんご迷惑《めいわく》をおかけすることになると思います。どうぞよろしくお願いいたします。

常に美しいイラストを描いてくださる、あき様。お忙《いそが》しい中、いつもありがとうございます。ほんとうに毎回毎回、表紙も挿絵《さしえ》も楽しみです！

読者の皆様。読んで頂けること、常に感謝しています。

読者の皆様に感謝の気持ちを伝えるには、きちんとした原稿《げんこう》を仕上げ、読んで頂ける価値のあるものを書くことが第一だろうと思っています。

次巻から新章突入。

気を引き締《し》めていきたいと思います！　ではでは、また。

三川　みり

「シュガーアップル・フェアリーテイル 銀砂糖師と虹の後継者」の感想をお寄せください。
おたよりのあて先
〒102-8177 東京都千代田区富士見2-13-3
株式会社KADOKAWA 角川ビーンズ文庫編集部気付
「三川みり」先生・「あき」先生
また、編集部へのご意見ご希望は、同じ住所で「ビーンズ文庫編集部」
までお寄せください。

シュガーアップル・フェアリーテイル 銀砂糖師《ぎんざとうし》と虹《にじ》の後継者《こうけいしゃ》

三川《みかわ》みり

角川ビーンズ文庫 17527

平成24年8月1日 初版発行
令和5年6月5日 4版発行

発行者――山下直久
発 行――株式会社KADOKAWA
〒102-8177 東京都千代田区富士見2-13-3
電話 0570-002-301(ナビダイヤル)
印刷所――株式会社KADOKAWA
製本所――株式会社KADOKAWA
装幀者――micro fish

●お問い合わせ
https://www.kadokawa.co.jp/ (「お問い合わせ」へお進みください)
※内容によっては、お答えできない場合があります。
※サポートは日本国内のみとさせていただきます。
※Japanese text only

ISBN978-4-04-100402-9 C0193 定価はカバーに明記してあります。 ◆◇◇

第二王子レイフォード
（血みどろ）
末っ子姫シャーロット
（脱ひきこもり）
王様候補探しに暗雲が…!?
この男はどう動くのか…!?
アルベルト・ホースマン
（首なし騎士）
リオン
お嬢様、またもや授業を受けられなくなるのでは…
首《おびと》の姫と首なし騎士
Head Princess & Headless Knight
既刊好評発売中
❶首《おびと》の姫と首なし騎士
❷首《おびと》の姫と首なし騎士 いわくつきの訪問者
❸首《おびと》の姫と首なし騎士 英雄たちの祝宴
❹首《おびと》の姫と首なし騎士 追跡者たちの罠
睦月《むつき》けい
イラスト／田倉《たぐら》トヲル
角川ビーンズ文庫

角川ビーンズ小説大賞
原稿募集中!
君の"物語"がここから始まる!
角川ビーンズ小説大賞がパワーアップ!
https://beans.kadokawa.co.jp
詳細は公式サイトでチェック!!!
【一般部門】&【WEBテーマ部門】
賞金 大賞 100万円
優秀賞 30万円
他副賞
締切 3月31日
発表 9月発表(予定)
イラスト/紫 真依